目次

第3章　パンデミックと東京五輪

装幀　田中久子

まえがき

「ＡＥＲＡ」でコラムを担当するようになったのは２００８年3月のことである。最初は養老孟司(ようろうたけし)先生と隔週で寄稿していたが、養老先生が退かれてから、４人の寄稿者が２人ずつ隔週という今のスタイルになった。

最初から数えるとまもなく15年になる。

２０１４年に、それまでの寄稿をまとめて単行本にしてもらった。２０１８年には2冊目が出た。今回は3冊目になる。

何年も前に書いた時評が、短期間に消費し尽くされることなく、書籍になって読んでもらえるというのは書き手としてはうれしいことである。

だから、このコラムを書く時には「この文章は今から10年後でもリーダブルだろうか？」と自問しながら書いている。

だが、時評のリーダビリティーとはいったい何のことなのだろう。

扱われているトピックがその時点ではどれほどメディアを賑わしていても、10年後にはどれだけの人がそれを記憶しているだろう。

逆に、扱われているトピックそのものにはそれほどの重要性がなかったにもかかわらず、それを叙した文章だけは久しく読み継がれるということがある。

例えば、カール・マルクスの『ルイ・ボナパルトのブリュメール18日』がそうだ。

このドキュメントに登場する政治家や軍人たちは二流三流の人物ばかりで、共感できる人物がみごとに一人も出てこないし、掬すべき歴史的教訓も見当たらない。

けれども、タイトルロールのナポレオン3世以外の登場人物を誰も思い出せないこの政治的事件を叙したマルクスの本は、書かれてから150年後も世界中の言語に訳されて読まれ続けている。

読者たちは別に遠い大昔のクーデターの詳細な実相を知りたくて読んでいるわけではあるまい。

けれども、マルクスの文体の疾走感、修辞の鮮やかさ、論理の跳躍力は読者を惹きつけて離

さない。

私は『ブリュメール18日』を時評的な文章の一つの理想だと思っている。

私がこのコラムで扱うトピックの多くを10年後の読者はたぶん思い出せないだろうけれど、それでも「読み出したら止まらず、つい最後まで読んでしまった」というようなものを書きたいと思っている。

第1章

骨身にしみる教訓

仕事に呼ばれるという職業観

若い人たちがときどき相談に来る。相談というよりは「最後のひと押し」を求めてという方が適切かもしれない。

若い人たちの背中を押すことは年長者の大切な仕事だと私は思っているので、どんな相談ごとでも「やりたいようにやればいい。応援するよ」と笑顔で応じることにしている。経験的に言って、「人生そんなに甘くないぞ。きっと失敗する」と不安がらせるより「大丈夫だよ。うまくゆくよ」と励ます方が、結果的にうまくゆく確率は高くなるからだ。

相談事案のトップ3は

「教師になりたい」

「医療人になりたい」

「地方で暮らしたい」

である。若い人たちはなかなかいい感受性をしていると思う。

「天職」を英語ではcallingあるいはvocationと言う。どちらも「呼ぶ」という動詞の派生語である。どこからか「支援を求める声」が聞こえた人が「お呼びですか?」と応じる。そうやっ

て呼ばれて始めた仕事がやがて「天職」となる。

仕事は自分で選ぶのではない。

仕事に呼ばれるのだという職業観を私は健全だと思う。

若い人がそこに向かうということは、教育と医療と農業がいま最も切実に支援を求めている領域だからだ。

いずれも「それなしでは人間が生きてゆけないもの」であり、そしていずれもが危機的状況に瀕(ひん)している。だから、そこからの支援を求める声が耳を澄ましている若者たちのもとに届くのだろうと思う。

どれも人間の生身に触れる仕事である。

子どもたちの成熟を支援すること、損なわれ傷ついた心身を癒(い)やすこと、人々の飢えを満たすこと。そういう仕事はどのような時代でもそれなしでは済まされないし、携わる人に大きな達成感をもたらす。

2030年ごろにはAIの導入でさまざまな分野での雇用喪失が予測されている。

正確な予測は立てようがないが、「忌まわしいほどに大規模な雇用が、恐ろしいほど短期間で失われていくとみなす点ではコンセンサスがある」と「フォーリン・アフェアーズ・リポート」の2018年7月号は伝えていた。

若者たちはおそらく直感的にそれを感知して、決して機械に取って代わられることのない仕事を探しているのだと思う。

（２０１８年7月30日号）

名刀と鈍刀の違い

日本の武道はすべて剣の理合に基づいている。

武道家として剣はたいせつに思っている。居合の稽古には幕末の備前のわりとしっかりしたものを使っている。

ただ、私には「モノにこだわる」気質がない。若い頃からずっとそうだった。

周りの男子はカメラとかバイクとか車とか時計とかオーディオとか、そういうメカニカルな金属製のものにはげしいこだわりを示したけれど、私はそのどれにも深い愛着を感じることができなかった。手元にたまたまあるものを使い、なくしたら「あ、なくした」、壊れたら「あ、壊れた」で終わりだった。

だから、愛剣もそれなりに丁寧に扱ってはいるけれど、特段のこだわりはない。人に言うと「そんな奴には剣を遣う資格がない」と叱られそうなので黙っていた。

先日、能楽師の安田登さんたちが主催している天籟能という催しにゲストで呼ばれた。

能が「小鍛治（こかじ）」だったので、川﨑晶平さんという刀匠（とうしょう）もゲストに招かれていた。

刀匠という職業の方と会うのははじめてだった。

出番前の楽屋で、川﨑さんが打たれた新刀をすらりと抜いたのを見て、電撃に打たれたように物欲の虜（とりこ）となってしまった。

その剣は売約済みということだったが、もう欲しくてたまらない。「垂涎（すいぜん）」というのはこういう心的状態なのかとはじめて知った。

諦め切れず、出番が終わった後に「僕にも刀を打ってください」とにじり寄ってお願いした。

私にとって剣は鑑賞用の美術品ではないし、殺傷用の利器でもない。

剣を構えると「野生のエネルギー」が私の身体を通り抜けるのである。

剣が私の身体を調え、どういうふうに身体を使えばよいのかを教えてくれる。

剣には剣固有の生命の流れがある。

それを遮断したり、屈曲させたりしないように、「剣のお邪魔にならないように」身体を使うことが私の理解するところの剣の操作である。

その指示が明瞭な刀とそうではない刀がある。名刀と鈍刀の違いはおそらくその指南力の差にあるのだと思う。

川﨑さんの鍛えた剣に強い指南力を感じて、私は身体が先に反応してしまった。

齢古希に迫ってかかる煩悩の虜となるとは、人生何があるかわからない。

（２０１８年10月１日号）

自分のバカさを開示する努力

年の初めに、今年の予測を書いてみたい。

つねづね申し上げている通り、未来予測はできるだけ具体的に書く方がいい。外れた場合にすぐわかるからである。

なんとなく「想定内」に収まるような玉虫色の予測をする人がいるが、それでは自分の知性の不調を点検する役に立たない。

未来予測をするのは、当たった場合に自分の知性の順調な機能を言祝ぐためではない。外れたときに、自分がどんなデータを見落としたか、どんな情報を過剰評価したか、主観的願望が状況判断にどれほどバイアスをかけたかを点検するためである。

車の仕業点検と同じで、機能の不全を検知するための作業であって、性能のよさを誇示するためではない。

「エンジンから異音がするが、オーディオの音質はすばらしい」とか「ブレーキの利きが甘い

が、シートの硬度が玄人好み」とかいうような修理工場には誰も車検を頼まないのと同じである。こういう基本的なことが分かっていない人が多いようなので、年頭に控えめな苦言を呈しておく。

私たちは自分の利口さを誇示するのと同じ程度の努力を、自分のバカさを適切に開示するためにも向けるべきなのだ。自分の言動が世の中に及ぼすかもしれない悪影響を最小化するための気遣いを忘れてはならない。

文句を言っているうちに紙数を使い過ぎてしまった。残る字数で2019年の予測をする。

予測1 統一地方選、参院選で自民党が大敗。安倍政権による改憲の機会が遠のく。野党が候補者乱立で共食い状態になることを与党は期待しているが、さすがに野党政治家たちの政治的成熟度がそこまで低いとは思いたくない（願望）。

予測2 株価が急落。これまで官製相場で必死に吊り上げてきたけれど、五輪・万博・カジノ・原発といった「打ち上げ花火」的な事業頼りで、賃金は低く、雇用は不安定、消費が冷え込んだままでは、日本企業が高く評価される理由がそもそもない。

予測3 トランプの暴走が続き、米中関係は悪化、ブレグジットの混乱、そこに乗じたロシアの狡猾なマヌーバー（策略）で、世界はさらなるカオスへ。

書いてみたら、誰でも言いそうな予測だった。

（2019年1月28日号）

「アイドル」だった橋本治さん

橋本治さんが亡くなった。享年70。

昨秋頂いたお手紙には、16時間の手術を受けたけれど、上顎洞がんと診断されて、16時間の手術を受けたけれど、さいわい転移はなく、いま療養中ですとあった。

去年、橋本さんは尾崎紅葉の『金色夜叉』現代版の新聞連載を終わらせ、「平成の間中返済を続けた悪夢のようなローン」を完済し、肩の荷をおろしたところだった。

「常識で考えて『えらいね』の一言くらい飛んできてもいいじゃないですか。代わりに飛んできた言葉が『がんですね』なんだからなにをかいわんやでございます」

と相変わらず自分の病気さえ茶にする橋本さんの胆力に胸を衝かれた。

とても私には真似ができない。

数日前、女流義太夫の鶴澤寛也さんの「はなやぐらの会」の案内が届いた。

今年も「お話　橋本治」とあった。春には舞台で話ができるくらいに回復するのだと知ってほっとしていた矢先の訃報だった。

橋本さんは私にとって少年時代からの久しい「アイドル」だった。

橋本さんが描いた「とめてくれるなおっかさん」という1968年駒場祭のポスターの挑発性と思いがけない「やさしさ」の衝撃は同時代の空気を吸っていた人でないとわからないと思う。高校を中退して行き場を失っていた私はそのポスターを見るだけのために駒場まで足を運んだ。

10年後、非常勤先で一緒だった下川茂さんが「同級生が小説を書いたんだ。橋本君ていう面白い子でね」と言って『桃尻娘』というタイトルの本を見せてくれた。「あの橋本治」が小説を書き出したと知って、すぐに買って読んだ。

それから手に入る限りの橋本さんの本を読み漁（あさ）った。

ちくまプリマー新書が始まったとき、橋本さんがシリーズ第1作を、私が第2作を書くことになった。

シリーズのトーンを整えるために、橋本さんの『ちゃんと話すための敬語の本』の手書き原稿のコピーを「臨書」して『先生はえらい』を書いた。

そのとき自分の文体についても思考についても、この先賢からどれほど深く影響されてきたのかを思い知った。

まだまだ書きたいことがあるので、続きは次回。

（2019年2月11日号）

仏さまに喩えられる理由

橋本治さんの葬儀からの帰り道に、女流義太夫の鶴澤寛也さん、『橋本治の小説作法』を制作中の矢内裕子さん、新潮社の足立真穂さんの3人と一献傾けながら、それぞれ「私の橋本治」について少しずつ語った。

そのときに寛也さんが「橋本さんは千手観音のような人だった」とぽつりと言った。千手観音は衆生をあまねく済度するために千の手を持っている。

橋本さんは支援を求める人がいると「うう、めんどくせえなァ」とぶつぶつ言いながらでも、必ず手を差し伸べた。

聞いてちょっと驚いたのは、僕も前に「橋本治は薬師如来のような人だ」と書いたことがあるからだ。

作家への評言にはいろいろなものがあり得るけれど、仏さまに喩えられる作家はまず橋本さんを措いて他にはいないだろう。

葬儀の2日前、橋本さんの訃報が届いた直後、高橋源一郎さんと大阪の朝日カルチャーセンターで対談した。「平成のおわりに」というタイトルだったけれど、ほとんど「橋本治とはな

にものだったのか」という話題に終始した。

そのときに高橋さんが「橋本さんは時代をして語らしめることのできた稀有の作家だった」と語った。その通りだと思った。

『巡礼』から『草薙の剣』に至る連作の中で語っていたのは、登場人物たちというよりは、「昭和という時代」そのものだったのだと思う。

時代は自分の言葉を持っていない。まとまりのある命題や審美的判断を時代が語るということはあり得ない。でも、橋本さんはそれを語らせようとした。時代に言葉を贈ろうとした。

そのために、橋本さんが採用したのは「もともと自分を語る言葉を持っていない人たち」を語り手に配することだった。

彼らは自分の言葉を持たない。だから定型句や空語を繰り返し、しばしば言いよどみ、口をつぐむ。でも、言葉をうまく操れないこの「こわばった舌」を通じてはじめて時代は語り始める。橋本さんはそれを実践してみせた。例外的な力業だったと思う。

言葉を持たないものに言葉を贈ったこと。

その動機として「慈愛」の他に何があるだろうか。

橋本治さんが仏さまに喩えられるのはそれゆえだと僕は思う。


（2019年2月25日号）

学生に残した言葉

先日、橋本治さんを「偲ぶ会」が東京で開かれた。糸井重里さん、養老孟司先生、高橋源一郎さん、関川夏央さんら、生前親交のあった多くの方が集まった。会場の片隅で、私は矢内賢二、裕子ご夫妻と鶴澤寛也さんとしばらく立ち話をした。

十数年前、不思議なご縁で、神戸女学院大学の学生たちを引き連れて、寛也さんの女流義太夫の公演のお手伝いに行ったことがあった。

「アート・マネジメント」という科目が始まり、その最終学期が「インターンシップ」という授業だった。

矢内さんに頼み込んで、学生たちのためにプログラムを考えてもらった。

第一日は、橋本治さんが詞を書いた薩摩琵琶の公演を見て、それから晩御飯を食べながら、橋本さんにアート・マネジメントの心得について学生たちにお話をして頂くという豪華な授業だった。

そのとき橋本さんが学生たちにしてくれた話が忘れられない。

プロデューサーの仕事は何かという問いを立ててから橋本さんは、「それは現場に行ったときに床のごみを拾うことができる人だ」という独特の定義を下した。

スタッフもキャストもみんな「自分のこと」で手一杯で、「全体」を見ることができない。だから、床のごみにも気がつかない。気がついても、それを片付けることが自分の仕事だとは思わない。誰かがやるだろうと思っている。

でも、「誰かがやらなければいけないこと」だけれど「誰も自分の仕事だとは思っていないこと」が手つかずに残ったせいで、仕事が滞ったり、現場の雰囲気がとげとげしくなったり、もっと大きなトラブルを引き起こすことだってある。

全体を見ている人だけがそれを未然に防ぐことができる。それがプロデューサーの仕事だよ、と橋本さんはにこにこ笑いながら学生たちに語り聞かせた。

学生たちは食い入るように橋本さんの話を聴いて、ノートを取っていた。

二十歳くらいのときに橋本さんのような「ほんもの」からこういう話を直接聞くことができる学生たちはほんとうに幸運だなと横にいて思った。

橋本さんはその叡智(えいち)を惜しみなく贈ってくれる人だった。

偲ぶ会で、そのことを改めて思い出した。

（2020年2月17日号）

かけがえのない時間

私事にわたって恐縮だけれど、娘の内田るんと共著で『街場の親子論』という往復書簡集を出した。

父娘間の往復書簡は寡聞にして類書を知らない。

仲の良い父娘というのはもちろんたくさんいる。娘が父親の風貌を回顧的に、愛情をこめて描くという作品は幸田文の『父・こんなこと』、向田邦子『父の詫び状』など心に残る名作がいくつもある。

でも、生きている父と娘が手紙のやりとりをして、それを書籍化するというのはかなり珍しいことではないかと思う。

1年ほどかけて手紙を取り交わしたが、胸を衝かれたのは、忘れがたい出来事として私が記憶していたことのいくつかについて、娘の記憶がぜんぜん違っていたことである。あまりに違うので頭が混乱した。過ぎてしまったことなので、確認のしようがない。古希に至って、自分が経験したと思っていたことがほんとうのことなのか、偽造記憶なのかわからなくなったのである。

人間というのは自己都合で記憶を書き換えてゆくものだということは知識としては知っていたけれど、まさかわが身に起きるとは思わなかった。間の抜けた話である。

でも、不思議なもので、自分がほんとうは何を経験してきたのかわからなくなってからの方が話は弾んだ。

「僕はいったい何をしてきた、どんな人間なんでしょう」と私が訊くと「お父さんは、これこれこういう人だよ」と娘が教えてくれる。

「よく父娘で対話が成り立ちましたね」といろいろな人に驚かれた。どうしてだろうかと考えて、理由を一つ思いついた。それは少女マンガを二人で読んできたことに関係があると思う。

娘が「これを読め」と言って持ってきたものを私がほいほい読むという関係だった。少女マンガには娘たちが「こんな父親だったらいいな」という夢が控えめに描き込まれている。

『あさりちゃん』も『天才柳沢教授の生活』も『よつばと!』も『Papa told me』もそうである。たぶん私はそれらを読むことによって、それと知らずに「娘から見て好もしい父親像」を学習したのである。

日曜ごとに二人で少女マンガを読んで過ごした時間は無駄ではなかったということである。

（2020年6月29日号）

絶望的にならずにいられるのは

病気と怪我の予後を養うために、旧友たちと湯治に出かけた。

さすが齢古希に至ると五体満足という者はいない。

膝が悪くて歩けない、白内障で目が見えない、病後で頭が働かないなどなど老人の愁訴を弱弱しく口にしている。

ところがいったん慨世（がいせい）の言辞が舌頭に上るや、背筋がしゃんとして口調が熱を帯びるから不思議である。

「年を取ると怒りっぽくなる」というが、「怒っているときだけ少しだけ血のめぐりがよくなる」ということなのかも知れない。

五輪はやるのか、ワクチン接種はいつ始まるのか、中国は台湾に侵攻するのか、日本のシステムはどこまで劣化するのか、話頭は転々としたが、それでも絶望的にならずにいられるのは、長く生きてきたせいで、「たいへんな時代」が前にもあったことを覚えているからである。

例えば、喫煙者に対する差別。

私たちの世代が煙草の匂いに寛容なのは、子どもの頃それが「文明の香り」だったからであ

る。

昭和20年代の東京の屋内でいちばんきつかったのは便所から漂う糞便（ふんべん）と外のドブの臭いだった。

煙草はそれらの悪臭をかき消す人工的な「消臭剤」の役割を果たしていたのである。

いま、煙草を自由に吸ってもいいが、その代わりに昭和20年代の臭気に戻すがどうかと提案されたら、私は断る。

若い人が本を読まなくなったと嘆く者がいたが、私たちの時代だって似たようなものだった。読まないとバカにされるから、やせ我慢で読んでいただけである。

そして、読み終わると今度は「こんなものも読んでいないのか」と人をいたぶる道具に使った。別に先賢の知恵を貪るように求めていたからではない。

またあの時代の読書競争に戻してやろうかと言われたら、私は断る。

子どもがゲームばかりやっている。あれで知性や感情の成熟は期し得るのかと疑う者がいた。でも、私たちだって飽きずに麻雀をやっていたではないか。

高校生・大学生の頃にいったい何千時間を費やしたか。あの無益な時間を学業に投じていたらと後悔したことのない者だけがゲーマーに石を投げよ。

そうやっていちいちまぜっかえしているうちに日が暮れた。

（2021年5月10日号）

よくわからないが愉快な男

旧友平川克美君が店主であるところの隣町珈琲での新年会に誘われて上京してきた。「平川文化圏」と呼ばれるネットワークに連なる諸兄諸姉が一堂に会し、まことに愉快な一夕であった。イスラーム法学者と医療経済学者と舞踊家と女流義太夫三味線と浪曲師と編集者と疫学者が同じテーブルで懇談するという、よそではなかなか見ることのできない風景は平川君の魔術的な人脈形成力を窺わせる。

私が平川君と知り合ったのは小学校5年生の時である。転校した先のクラスに彼がいて、すぐに「友だち認定」してくれた。爾来60年余辱知の栄を賜り、一緒に起業し、のちには何冊も共著を出した莫逆の友である。平川君とはかつて一度も言い争いというものをしたことがない。彼が何を考えているか実はよくわからないからである。

相手の考えていることが手に取るように「わかる」と思うからこそ「それは違う」という手厳しい言葉も出てくる。11歳の時から「何を考えているのかよくわからないがまことに愉快な男である」というくらいのゆるい認識なので、彼が何を言っても何をなしても、「それは違う」

という言葉が出てこない。

小学生の頃から鉄条網を自転車でジャンプしたり、鉄棒の大車輪で脚を折ったりすることが「ふつう」という多動的男子を駆り立てている衝動がいかなるものであるかは、私のような文系虚弱児には端から理解の外だったのである。先方もおそらく同じだったのだろうと思う。

お互いに相手のことを「よくわからないが愉快な男だ」と思っており、かつ「約束したことは必ず守る男だ」ということは経験的に知っていた。それだけあれば生涯の友とするには十分だろうと私は思う。

長じてから私が「共通の祖国を持たない他者とも対話し協働し〈善きもの〉を生み出すことは可能である」というエマニュエル・レヴィナスの理説に「そうだよな」とすぐに頷いてしまったのも、「理解と共感で結ばれた同質的な集団」を理想とする政治的立場に対して懐疑的であることを止められないのも、たぶんにこの経験が与っていると思う。

また来年もお互いに息災で新年を迎えたい。

（2022年1月17日号）

不作法なふるまいをする人

見知らぬ人がメールやSNSでいきなり「お前」と呼び捨てにして罵倒の言葉を浴びせてく

ることが時々ある。いつの間にか日本ではそれが「ふつう」のことになったらしい。

私が大学の管理職をしていた時に学生の親からいきなり「謝れ」という電話がかかってきたことがあった。

「何について謝るのでしょうか?」と訊ねたのだが、教えてくれない。「保護者がこれだけ怒っているのは、大学に非があるからに決まっているだろう。いいからまず謝れ。話はそれからだ」と言い張るので、うんざりして電話を切ってしまった。

この人は「ふつう人間は『よほどのこと』がない限り激怒はしない。しかるに私は激怒している。ということは私の怒りには十分な合理的根拠があるからである」と推論することを私に求めていた。

そう思って見ると、「私が怒っているのは私が正しいからである」という奇怪なロジックを乱用する人が周りによくいる。銀行の窓口でも、コンビニのレジでも、信じられないほど不作法な口のきき方をする人たちにしばしば出会う。

「正しい要求がなかなか聞き届けられない時、人は自制心を失うことがある」という命題は経験的には真である。だが、その逆の「不作法にふるまっている人は正しいからそうしているのだ」という命題は成り立たない。

「不作法」と「批評性」は相関しない。それを忘れている人が多い。

実は、私も若い頃は真に批評的な人は「寸鉄人を刺す」ような攻撃的文体を巧みに操るものだと信じていた。鋭い批評性と切れ味のよい罵倒が表裏一体のものであるなら、まず「罵倒語法」を習得するのが捷径（しょうけい）である（批評的知性の涵養（かんよう）には時間がかかりそうだから）。

でも、そのうちに不作法の強度と言明の真理性の間には何の相関もないことに気づいた。逆に、卓越した知性は「怒り」のような感情資源を動員しなくても人を説き伏せることができるということを学んだ。

以来、人の文章を読む時には、「批評的でありながら礼儀正しい言葉づかいができる」かどうかを基準に採るようにしている。

（2022年6月13日号）

小田嶋隆さんからの最後の贈り物

小田嶋隆さんが亡くなった。

出先で受けた追悼文寄稿の依頼メールで亡くなったことを知らされた。

以前から闘病されていたことは知っていたし、「あまりよくないらしいよ」と共通の友人である平川克美君からも教えられていた。

6月はじめに小田嶋さんから電話を頂いた。いずれ鎮痛剤のせいで意識がはっきりしなくな

りそうなので、今のうちに旧知の友人たちに別れの挨拶をしているのですということだった。小田嶋さんの親友の岡康道さんが急逝された時、別れの挨拶ができなかったことがずっと悔いとして残っていて、そういう思いを自分の友人たちにはさせたくないので順繰りに挨拶をしているのですと説明してくれた。

体調が悪い中での気づかいに胸を衝かれた。

翌週東京に行く用事があるから、赤羽のお宅にお見舞いに参りますと告げて、平川君と一緒に病床を訪ねた。ベッドから起き上がれないほど憔悴していて、呼吸するのも苦しそうだった。それでも僕たちの顔を見ると「こういう状態だとバカ話ができないんです。だから、今一番したいのはどうでもいいようなバカ話をすることなんです」と言ってくれた。

それではというので、平川君と出たばかりの彼の最初の小説集『東京四次元紀行』についての感想を話し始めた。すると小田嶋さんは横たわったまま言語と文学について熱く語り始めた。彼の「バカ話」というのは、この不要不急の議論のことだったのかと腑に落ちた。

不思議なもので、臥床している時は、息をするのさえ苦しそうだった小田嶋さんが、橋本治さんの「半ズボン主義」の文学史的意義を語り出した頃には、それまでもつれ気味だった滑舌がよくなっていた。つい興に乗って、奥さまを交えて小田嶋さんを囲んで4人で1時間半もおしゃべりしてしまった。

別れ際に「じゃあ、また。元気でね」と言った。そう口にしてから、場違いな挨拶をしたものだと思ったけれども、いまさら取り消せない。

でも、小田嶋さんはにっこり笑って、温かく柔らかい手で私の手を握り返してくれた。笑顔と温かい握手が小田嶋さんからの最後の贈り物になった。

（2022年7月11日号）

親切な書き手

あるメディアから「人に優しくすること」についての原稿を頼まれた。

寄稿依頼には「日本社会には閉塞感が漂っています。システムの大枠はこのあとも変わりそうにありません。その中でも少しでも楽しく生きてゆくためには一人一人が少し優しくなる、寛容になるべきではないでしょうか？」という趣旨のことが書いてあった。

よくそれに気づいてくれた。

時々「今の日本で一番必要なものは？」と訊かれる。「親切」ですと答えることにしている。この世で一番大切なものは親切であるというのは、長く生きてきて骨身にしみた教訓である。

若い頃はそんなことは考えていなかった。

「親切」というのは生来の気質であって、「背が高い」とか「視力がよい」とかいうのと同じ

で、生まれつきのものなんだから、そうでない人間が努力してなることはできないと思っていた。

私はとくに親切な人間ではなかった（誰も「内田君て親切だね」と言ってくれなかった）。それなら死ぬまでそのままでゆくしかない。そう思っていた。でも、間違っていた。

誰でも努力すれば、親切な人間になることができる。そして、とりあえず何かを表現する仕事に就くつもりならこれはぜひとも親切な人間でなければならない。

表現において親切というのは、「情理を尽くして語る」ということである。

言いたいことだけを言いたいように言い放って、「あとは自分で考えてくれ」というのは「不親切」である。

親切な書き手は時間のある限り説明する。できるだけ論理的に語るのも、説得力のある根拠を探してくるのも、カラフルな喩え話を持ち出すのも、なんとか話を分かって欲しいからである。しかし、困ったことに、読者に対して親切にすればするほど、話はややこしくなる。いっそ言い切れば話は終わる。

だが、それでは「言い足りぬこと」「言い過ぎたこと」が残る。それを「落ち穂拾い」のように一つ一つ拾い上げてゆくと、話はどんどん長くなり、複雑になる。そして、話を聴く側にもその分だけの忍耐と寛容が必要になる。親切心がなければ付き合えない。

今の日本人が失ったのはそのような「親切の作法」ではないかということを書いた。

（2022年8月22日号）

72歳、「必死の初心者」

先日、72歳の誕生日を迎えた。

まさか古希を過ぎるまで生きられると若い時には思っていなかった。別に若死にしたかったわけではない。だが「こんな雑な生き方をしていたらどこかで野垂れ死にするだろう」という覚悟はしていた。

それが気づけば馬齢を重ねていた。誕生祝いのメッセージにあった「化けるほどに長くお元気で」という言葉を見て、なるほどそろそろ「化け物」の領域に踏み込みつつあるのかと思った。それも悪くなさそうである。

今年の誕生日は牧場で迎えた。3年前から乗馬を稽古しているのである。指導してくださるのは凱風館で新陰流のご教授をお願いしている三好妙心先生である。

剣術の稽古の後に三好先生を囲む懇親会の席で、馬に乗るというのがどれほど奥深い経験であるか話を伺っているうちに馬に乗りたくなり、発作的に「乗馬部」を立ち上げた。凱風館に

はそういう「部活」がいくつもある。居合や杖道（じょうどう）や禊（みそぎ）や滝行（たきぎょう）の「部活」があるのだから乗馬の部活があってもおかしくない。

私が「馬に乗りに行こう」と呼びかけたら十数人が手を挙げてくれた。ほぼ全員女性である。そうなのである。私が道場で「新しいこと」を始めようとすると面白がってくれるのは、ほとんどが女性である。

男性諸氏は「仕事が忙しくて」と苦笑するばかりで、仕事を休んでも「部活」に来る男性はまれである。たしかに平日の昼間に滝に打たれたり、祝詞（のりと）を高唱したり、馬に乗ったりするのは「堅気の勤め人」には難しいだろう。

けれども、新しいことを始める機会を「いずれ暇になったら」と先送りしているうちに、多くの男性は自己刷新の機会を逸したまま老境に達してしまう。むろん、その年齢からでも新しいことは始められるが、多くの高齢男性は「初心者」として新しい経験に踏み込むことをためらう。

私は72歳の誕生日にはじめて馬の「駆け足」というものを経験した。世界の風景が違って見えた。と書けばきれいにまとまるのだが、実際には落馬しないように必死に鞍（くら）にしがみついていた。でも、この年になってなお「必死の初心者」でいられることを私はうれしく思っている。

（2022年10月24日号）

第2章

「よりましな未来」が語れなくなった時代

死者を弔うのも集団の事業

本誌はたぶん40代から50代の都会で働く女性を主たる読者層に編集されているのではないかと思う。だから自分はこの雑誌の読者に想定されていないような気が時々する。子どもの受験とか不動産の購入とか私にはかかわりのないことである。

だが、例外的に8月13―20日合併号には「わがことか」と思った記事があった。「お墓はなくても大丈夫」である。墓の継承者がいないことを案じた高齢者たちが累代の墓を合葬墓に改葬して、永代供養(えいたいくよう)をして後顧(こうこ)の憂いをなくすという話である。

実は私の主宰する凱風館でも合葬墓を作る計画が進行している。

2年ほど前、寺子屋ゼミ(そういうものもやっているのである)で「お墓」について発表をした門人がいた。

独身で子どものいない女性で、「両親の供養までは自分がするし、家の墓も兄の子どもたちが守ってくれると思うけれど、誰が『私の供養』をしてくれるのか考えると不安になる」という切実な話をしてくれた。

それを聞いて、「じゃあ、凱風館でみんなのお墓を建てましょう。そうすれば、凱風館が続

く限り、その時々の門人たちが順番に供養してくれるから」と私が提案した。

内田家累代の墓は山形県の鶴岡にある。私が死んだら、娘や甥たちが墓は守ってくれるだろうけれど、門人たちが墓参するにはいささか遠すぎる。

道場の近くに門人たちが入れる墓を建てれば、季節のよいときにみんなで参拝して、泉下の先輩たちの思い出を語り合うこともできる。

善は急げと釈徹宗（しゃくてっしゅう）先生にご相談したところ、奇遇にも釈先生も檀家さんたちの中に後を弔（とむら）う人がいない高齢者が増えているので、その人たちのために合葬墓を建てる計画を立てているところだった。

渡りに船で話はとんとんと進んで、釈先生が住職をされている如来寺近くに墓所を確保し、凱風館を設計してくれた建築家の光嶋（こうしま）裕介君にお墓のデザインを依頼した。来年にはお墓が建つことになった。

過去帳は如来寺に管理して頂き、私の後を継ぐ凱風館館長が末永く法要を営む。

子どもを育てるのも、弱者を支援するのも、死者を弔うのも、ほんらい集団の事業である。「自己責任」というような尖（とが）った言葉はここには似合わない。

（2018年9月3日号）

「供養の主体」

「合同墓」というものを建てた。

建築家の光嶋裕介君に設計してもらった大理石のお墓である。

以前、凱風館のゼミで「お墓」について発表したゼミ生がいて、一人暮らしの女性にとって「お墓問題」がどれくらい切実なものかを教えて頂いたことがきっかけである。

家督を継ぐ長男が墓を守るという風習が廃(すた)れ、先祖の墓を守る仕事を誰が引き受けるのかがあいまいになった。累代の墓を近所に改葬したり、骨つぼを納骨堂ビルに預けたり、「墓じまい」して、「あとは各自で」と対応はさまざまである。

俺の骨は海でも山でも好きなところに撒(ま)いてくれ、墓なんぞ俺は要(い)らんよというドライでクールな人は男性に多い。

でも、女性は違う。

「姑と同じ墓には入りたくない」とか「夫と同じ墓には入りたくない」とか怖いことを言うのはだいたい女の人である。「墓に入ってからの人生」にある種のリアリティーを感じているのである。

だから、死んだ後、誰がどんなふうに自分の墓を管理するのかが気になる。合同墓は悩める人たちのために私が出した一つの解である。

凱風館の門人、ゼミ生たちで合同墓の趣旨に賛成して、協賛金を出してくださった方のお骨はこちらに納める。過去帳の管理は釈徹宗先生が住職をされている如来寺にお願いする。毎年気候の良い時に墓前に集まり、法要を営み、鬼籍に入った懐かしい人たちの思い出を語り合い、美酒を酌(く)むという趣向である。

これができるのは凱風館が「師匠から教えて頂いた技芸を次世代に伝承する」ための場だからである。

墓は50年、100年というタイムスパンで管理しなければならないものであるから、「供養の主体」は個人では務まらない。時代を超えて同一的であるような集団だけしかこの仕事は担うことができない。

凱風館の墓石の隣には如来寺の合同墓がある。これは供養する人のいない檀家のために釈先生が私財を投じて作られた。如来寺の墓には「倶会一処(くえいっしょ)」、凱風館の墓には「安定打坐(あんしょうだざ)」の四文字が刻まれている。

快晴の冬の日、山上で営まれた建碑式に来てくれたのはほぼ全員が女性だった。

（2019年1月14日号）

「政治的立場は違うが、人間は信じられる」という関係

大阪のダブル選と府議市議選が終わり、維新が圧勝という結果が出た。

注目された選挙のあとなので、ふだんならいろいろな人がコメントするはずだけれど、これについて語られた言葉が少ない。

私も訊かれたらどうコメントしたものか当惑していた。私の周りには橋下府知事以来の大阪維新の業績を評価する人が一人もいないからである。

だから、誰がどういう理由で支持しているのか、納得のゆく説明を聞いたことがない。

むろん、それは私の交友範囲が偏っているということに過ぎないのである。実際には、維新の政治によって現に恩沢（おんたく）をこうむっており、この体制の永続を願う人たちが大量にいて、私がその人たちと出会わないというだけのことなのである。

しかし、考えてみるとこれはかなり深刻な話である。

そこまで支持者と反対者が排他的に対立して、その間に「行き来」がなくなっているのである。

これほどの政治的立場の分断を私は20世紀のうちには経験したことがなかったと思う。

私のかつての岳父は自民党の国会議員を5期務めた人だが、戦前は日本共産党の幹部で特高に逮捕されて拷問された経験を持っていた。

その叔父は社会党内閣の農相だったが、戦前は右翼的な農民組合の指導者だった。

政治家として実現しようとしていた目的において二人にそれほど変わりがあったわけではないと思う（現に仲がよかった）。

その目的を実現するために選んだ組織が違ったというだけのことだった。

そういう人たちが昭和の政界には混在していた。

「政治的立場は違うが、人間は信じられる」という関係があったからこそ議会内でのすり合わせが可能だったのだと思う。

今の政治から失われたものがあるとすれば、それはこの「立場は違うが、人間は信じられる。仮に敵味方に分かれても対話はできる」という人間的なつながりの厚みだと思う。

古来、政治では、政策そのものの当否よりもそれを提案する人物の信義や器量が重んじられた。だから、激しい対立が、領袖同士の対話で一夜にして和解に至るということがしばしばあった。

その風儀がほぼ失われたのである。

そのことの歴史的意味はたぶん私たちが思っている以上に重い。


（2019年4月22日号）

自己肯定感の低さと高齢化

日本がこれからどうなるかを考える場合には、人口減少と高齢化が基本的な与件になる。数字を示すと、目を丸くして驚く人が多い。

総務省の予測では、2100年の日本の人口は高位推計6400万人、中位推計4770万人、低位推計3770万人。中位でもこれから80年で人口が8千万人減る勘定である。その時点での高齢化率は40パーセント。それがどのような気分の社会なのか、予測がつかない。

中央年齢（それより上の世代と下の世代の人口が同数になる年齢）は高齢化の一つの指標だが、日本は45・9歳で世界1位である。他にはどんな高齢国があるのか気になって調べてみたら驚くべき結果が出た。

2位　ドイツ
3位　イタリア
4位　ブルガリア
5位　ギリシャ
6位　オーストリア

7位　クロアチア
8位　スロベニア
9位　フィンランド
10位　ポルトガル

なんと、1位から9位までが第2次世界大戦の「敗戦国」あるいはその占領地域で占められていたのである（ポルトガルのみは中立国だったが、サラザール独裁のファシスト国家だった）。第2次世界大戦の敗戦国では、戦後のある時期から後、国民が子どもを産まなくなったらしい。この現象に何か名前がついているのかどうか、私は知らない。

フランスの社会学者、デュルケームの『自殺論』によれば、「自分はやるべきことを日々果たしており、それを周囲に承認されている」という実感があると人はなかなか自殺しないそうである。

自己肯定感の多寡と自殺率の間には相関がある。子どもが生まれない国とは、きつい言い方をすれば「国民規模で緩慢な自殺をしている国」である。それはおそらく国民の自己肯定感と関係があるだろう。

そういえば先年の調査で日本の若者の自己肯定感は調査7カ国で最低だった。

この自己肯定感の低さはもしかすると敗戦経験のトラウマ化と関係があるのかもしれない。

現に、高齢化上位国においては歴史修正主義が猖獗(しょうけつ)をきわめている。それが何とかして国民的規模で自己肯定感を回復しようとしての「悪あがき」なのだとしたら、その気持ちはわからないでもない。

（２０１９年7月8日号）

市場原理とは違う原理で活動する人々

吉野の山中に私設図書館を開設した若い友人がいる。自宅を開放して、閲覧、貸し出しをしている。毎年数百人が他県からも来館するそうである。人口１７００人の彼の村には書店がない。文化的な拠点としての「書物のある空間」が必要だと考えて自宅を図書館として開放した志を私は壮とするものである。

興味深いのは、この「ひとり図書館」を訪ねる人たちの中に「ひとり書店」や「ひとり出版社」を経営する人が含まれていたことである。

吉野と同じような過疎化・高齢化に悩む里山や漁村に暮らす人たちの間から「書物のある空間」を手作りする人が次々と登場してきているのである。

メディアはこれまで出版危機と街の書店の壊滅的危機を伝えてきた。たしかに、書籍販売額も書店数も１９９０年代と比べると、半減した。書物にとって受難の時代が到来するという悲

観的な記事を私はしばしば目にした。

だが、それはあくまで経営ベースの話である。

たしかに書物の出版頒布で金を儲けることは難しくなった。けれども、そのことは「自分の暮らす場所に書店や出版社や図書館があればいいのに」と願う人たちが減ったことを意味するわけではない。

「最後の一人になっても書物文化を守りたい」と願う人たちは身銭を切ってもそうすることを私は教えられた。

単独でも書物とのかかわりの場を維持しようと決意した人たちはそれで「食える」と思ってそうしたわけではない。別の仕事で得た収入を投じて「書物のある空間」を手作りした。彼らは市場原理とは違う原理で活動している。

彼らにとって書物は商品ではない。書物が求めるのは読者であって、消費者ではないことを彼らは知っている。もし書物が商品なら、「あなたが書いた本を私が全部買い上げる」という申し出を断るロジックはなくなる。買い手がその本を読まずに裁断しようと、焚書しようと「お好きにどうぞ」と笑って言える人間にとってのみ書物は商品である。

そのような人間の脳裏には「書物のある空間」を私財を投じてでも創り上げたいという願いが去来することはないだろう。

（2019年7月22日号）

現状維持を望む若者たち

参院選では歴史的な低投票率のおかげで絶対得票率が2割を切った自民党が「勝利」を宣言した。そして、外交でも経済政策でも見るべき成果を上げていない総理大臣が在任期間の史上最長を記録しそうである。どうしてこんな「不思議なこと」が起きるのかと訊かれた。

私にもうまくは説明できない。ただ、私くらいの年齢の人間と30歳以下の人たちでは歴史の見方が違っているのが一因ではないかとお答えした。

私たちの世代は、戦後民主主義も核戦争の恐怖も民族解放闘争もベトナム戦争もバブル経済もグローバル化も「アメリカ・ファースト」もいろいろと経験してきた。その結果、人間たちの営みは、行き過ぎがあれば補正され、一方向に雪崩打つといずれ反動が来るということを学んだ。長めにタイムスパンをとって、集団的に見れば、「歴史はそこそこ合理的に推移している」というのは私たちの世代の経験知である。

遅々としてではあるが、人権は配慮され、女性の社会進出は進み、子どもたちは保護され、強制収容所は閉じられ、拷問は禁止されるようになった。ときどき後戻りしながらも、人類は全体としては「よりましな未来」に向かってきた。だから、私たちは個人的経験からそのよう

に帰納的に推論した。そして、「よりましな未来」をめざす運動はいずれ日の目を見るだろうと何となく信じていられた。

けれども、生まれてからずっと「どちらかというとろくでもない方向」に一方向的に社会が向かう時代しか知らない人たちは同じようには推論しないだろう。

彼らにとって、変化は劣化以外の意味を持たない。彼らの経験が教えるのは「どうせ明日はもっと悪くなる」ということである。ならば、現状維持は生存戦略上、合理的な選択である。想定内の苦痛の方が想定外の幸福よりも生きる基盤としては安定的だ。「知らぬ仏より馴染みの鬼」と言うではないか。

投票にも行かず、デモもせず、日本の衰退をぼんやり眺めている人たちは、「予測可能な仕方で国運が衰微してゆく現状」を受け入れる方が「よりましな未来」を虚しく夢見るよりも現実的で賢明なふるまいだと、たぶん信じているのだ。

（2019年9月9日号）

「言論の自由」という観念

「週刊ポスト」の嫌韓記事問題について「小学館とはもう仕事をしない」と書いたら、「言論の自由を弾圧するのか」というお門違いな批判を浴びた。

残念ながら私には言論の自由を弾圧するような力はない。たしかに「黙らせたい」と思うような非道な言葉がメディアを行き交っているのは事実だが、私にはそれを禁圧する力はないし、仮に力があっても、その行使を自制する。

勘違いしている人が多いが、「言論の自由」というのは、心に思っていることを（思っていないことでも）人は好きなように口にする権利がある、というような底の抜けた放任主義のことではない。「言論の自由」というのは、さまざまな人がそれぞれの思いを自由に口にできる環境では、長期的には、真理をより多く含む言説が淘汰圧に耐えて生き残るという歴史の審判力に対する信認のことである。

長いタイムスパンをとった場合、集団はだいたい「よりまともな方向」に進化するはずだという楽観のことである。もちろん短期的、局地的には「退化」や「劣化」のプロセスをたどることもある。けれども、一定時間が経てば、間違いは修正され、行き過ぎは抑止される。「言論の自由」という観念は、言論が行き交う場の審判力を信じるという決意に裏づけられてはじめて生気づけられる。すべての人が自由に語る権利を行使できるならば、最終的には、時代を超えて語り継がれるべき重く深い言葉だけが残り、空疎で薄い言葉はかき消えてゆくという信念だけが「言論の自由」という観念に命を吹き込む。

私はそう信じている。理論的にはそうあって欲しいし、経験的にはこれまでそうだった。

真理のみに表現の自由は許されるべきだ、というような無理なことを言っているわけではない。「たとえ偏見に満ちており、事実認識に誤りがある言説でも、端的に嘘でも、空語でも、妄想でも、人はそれを自由に口にする権利がある」というふうに「言論の自由」を浅く理解している人には、そうすることであなたは自ら言論の自由の原理を汚し、それに託された願いを否定しているのだと告げているだけである。

（2019年9月23日号）

デカルトが今の日本を見たら……

「もう一つの真実」という言葉を最初に使ったのは、トランプの大統領顧問ケリーアン・コンウェイである。大統領就任式に集まった人数について「過去最大」と言った報道官のあからさまな嘘を取り繕ってこう言ったのである。

人によって、その政治的立場や信教の違いによって、あるいは階級や性別によって、世界の見え方は違う。これはその通りである。別にコンウェイの創見ではない。

社会的属性が違えば、世界の見え方も変わるということを指摘したのはマルクスから、フェミニスト、ポストモダンの思想家たちまで枚挙にいとまがない。ただ、それが「嘘の言い訳」に使われるようになったのは比較的最近のことである。

この世に「客観的事実」なるものは存在しない。だから、すべての世界認識はそれぞれの主観的偏見に過ぎないという主張には一理ある。だからと言って、すべての主観は等価であるということにはならないし、万人は「客観的実在」のことなど気にかけず、自分の気に入った妄想のうちに安らぐ権利があるということにもならない。それは「いくらなんでも非常識」だからである。

「間違っている」と言っているのではない。「非常識だ」と言っているのである。

「間違っている」と「非常識」は話のレベルが違う。止否については断じられないが「いくらなんでも非常識」という理由で退けることはできる。世事のほとんどは、実はそれで収まるのである。「理屈ではそうでも、それじゃあ世間は通らないよ」というのは大人が子どもに人の道を説く時の常套句（じょうとう）である。

旅に出て「われわれの考えとはまったく反対の考えを持つ人々」に出会ったデカルトは、彼らもまたそれぞれ理性的に推論しており、「みなが野蛮で粗野なのではない」ことを知った。その上で、「明証的に真であると確定されない限り、いかなるものも真とは認めない」という厳密さは譲らぬまま、日々の暮らしにおいては、「最も穏健で、極端でない意見に従っておのれを律する」ことを推奨した。

デカルトが今の日本を見たら、「もう一つの真実」は溢れているが、「分別」が足りぬと評す

ることだろう。

（2019年12月2日号）

世界はこうして「サル化」する

『サル化する世界』という本を出した。自著の宣伝をこういう「公器」で行うことは控えているのだけれど、今回は反応が興味深かったので、取り上げる。

発売されて5日目に重版が決まり、アマゾンのいくつかのチャートで1位になった。私の本は普通そんなに売れないから、たぶん「サル化」というタイトルにインパクトがあったのだろうと思う。

ずいぶん前になるが、朝刊を開いて養老孟司先生の『バカの壁』の新刊広告を見て、本屋に駆けつけたことがあった。昼前だったが、平積みされた新刊の中でそこだけ凹んでいた。私と同じ反応をした人がそれだけいたということである。

「バカの壁」というのが「来た」のである。よく意味はわからないが、そういうものがこの世にはあり、それを手がかりにすると、いろいろなことが腑に落ちるのではないか。そういう期待を抱かせるタイトルだった。

「サル化する世界」もちょっとだけそれに近いのかと思う（ちょっとだけだが）。

「朝三暮四」という「変な話」がどうして久しく語り伝えられているのか考えたのである。

このサルたちの「今の自分さえよい思いができれば、未来の自分が飢えても気にならない」という自己同一性保持力の弱さを荘子(そうし)は矯正すべき欠点だと考えた。それは「サルみたいな人間」が実際に彼の周りにいたからだと思う。

というのは、「守株待兎(しゅしゅたいと)」も「矛盾」も「刻舟求剣(こくしゅうきゅうけん)」もみな春秋戦国時代の話だからである。「今、ここ」にしかリアリティーを感じられない「サルみたいな人」に過去と未来を教えることが開明化の急務だと荘子も韓非(かんぴ)も考えたのである。

過去と未来に広がる時間の流れの中に自分を位置づけ、今ここにおける行動の適否を判断できる能力がない人には後悔も不安もないが、その代わりに反省も予測もできない。確率や蓋然(がいぜん)性という概念がない。矛盾律も因果関係も理解できない。そういう「サルみたいな人」が戦国時代から2千年以上経った令和の聖代に大量発生してきた。

そんな気がして、そのことを書いたのであるが、タイトルを見ただけで「なるほど、あのことか」と膝を打った人が少なくなかったのだろう。

(2020年3月16日号)

「一生」という概念

ウイルス禍については、原稿を書いてから媒体に掲載されるまでのわずかのタイムラグに、書いたことが「遠い昔の話」として反古にされるリスクがある。思えば「桜を見る会」もそうだった（ああ、もう遠い昔のことのようだ）。「3日前の未来予測」が「旧聞」に化すことに怯えながら原稿を書くことが日常化する日が来るとは少し前までは思ってもいなかった。

これでは人々の時間意識が縮減するのもやむを得ない。

人類はある時「世界の起源」から「世界の終末」に及ぶ永劫の流れのうちに自らの生を位置づける能力を獲得した。およそ2500年前のことである。

おのれの人生が須臾であること、生涯かけて踏破しうる空間が芥子粒ほどのものであることを思い知ったことから人間はその知性的・感情的・霊的成熟を始めた。

人間性なるものを基礎づけたのは実にこの広々とした時間意識なのである。

しかし、私たちは今そんな悠長な時間意識のうちにはいない。

あまりに物事の変化が速すぎて、遠い目をして往時を回想したり、遥かな未来を望見したりする余裕がないのである。

AI導入後の雇用環境はどう変わるだろうかというような「悠長な」話をしていたら、パンデミックでそれ以前にいくつかの業界がまるごと消失というような事態が切迫してきたからで

ある。

今の若い人に「あなたの老後の生活計画はどのようなものですか」とアンケートを取ろうとしたら、何と愚かなことを訊くのかと突き飛ばされる覚悟が要る。輪郭の定かならぬ未来の希望を語る作業にさえ、ほとんどSF的な想像力が必要だからだ。

しかし、過去を顧み、未来に備えるという営みが虚しく思えるというのはほとんど「文明史的危機」と言わなければならない。

人の一生はどれほど長く感じられようと実は刹那(せつな)に過ぎないという覚知から人間はその進化を始めた。だとすれば、昨日ははやかき消え、明日は寸前まで予測不能という「無視界飛行」を強いられている現代人にはもう「一生」という概念そのものにリアリティーがなくなっている。そんな人に人間的成熟を求めるのは論理的に不可能である。

そして、たしかにそれはもう杞憂ではなくなっている。

（2020年3月30日号）

他人に屈辱感を与える技術

政治家たちの話を聴いていたら、他人に屈辱感を与える技術に卓越した人が多いということに気が付いた。

『ブルシット・ジョブ』のデヴィッド・グレーバーによると、人間に価値がないと感じさせる方法は無数にあるのだが、「典型的にアメリカ的な政治的言説」として「どの口が権利を言うか言説（rights-scolding）」なるものが存在するらしい。

自分には何らかの権利があると思っている人間に向かって、「どの口が言うか」と黙らせる技術である。

この右翼的ヴァージョンは「社会が暮らしに責任を負っている、あるいは、重病者には医療サービスをおこなわねばならない、出産休職、職場の安全、法のもとの平等な保護を保障しなければならない、といった発想を激しく攻撃することに重心を置いている」。

日本でも福祉制度の受益者を「フリーライダー」として罵倒する人たちがいる。

貧しい人や病気の人は自己責任でそうなったのだから「社会」に支援を求めてはならないというあのサッチャー主義はいまも日本では現役である。

「どの口が言うか言説」には左翼版もある。

ソ連が愛用した「そっちこそどうなんだ話法（Whataboutism）」である。

ソ連国内の人権抑圧を欧米が批判すると、奴隷制や植民地主義でさんざん人権抑圧してきた国に「どの口が言うか」と黙らせた。「第三世界の抑圧され収奪された人民」を前にしたとき、ぬくぬく暮らしてきた先進国民が人権を請求するなど笑止千万であると、極左が市民の権利請

求を棄却するときにもよく使われた。

世界中で党派を超えて愛用されているところを見ると、グレーバーが言うように「典型的にアメリカ的な政治的言説」ではなさそうだが、新自由主義イデオロギーとともに世界中に拡がったことは間違いない。

日本でもこの語法に熟達した政治家や評論家が近年増殖してきた。遠からず、相手に屈辱感を与え、沈黙に追い込むことを「成功体験」として内面化した人々が世の中にあふれ、市民的な権利請求をことごとく鼻先で冷笑するような社会が到来するのであろう。

でも、それで誰が幸福になるのか、私にはよくわからない。

（2020年9月14日号）

刀と旦那

刀を手に入れた。

居合の稽古用に真剣は一振り持っている。江戸時代の備前の刀である。美しく、穏やかな表情の刀で、楽しく稽古してきたが、急にある刀が欲しくなった。

能楽師の安田登さんたちが主催する「天籟能」という催しがあり、私も時々ゲストで舞台に

上がっている。2年前にそこで「小鍛冶」という能が出た。

刀匠三條小鍛冶宗近が刀を打つことを一条天皇に命じられるが、力のある相鎚がいない。困じ果てて稲荷明神に参詣すると、果たして御利益があって一夜狐の精霊が現れて相鎚を務め、無事に名剣「小狐丸」が打ち上がったという話である。

刀鍛冶の話なので専門家を呼んで話を伺おうと、川崎晶平さんという刀匠がゲストに呼ばれた。楽屋で川崎さんにご持参の刀を見せてもらった。鞘からすらりと抜いた刀身を見た途端に「垂涎」の状態になった。私は元来物欲の希薄な人間なのだけれど、この時ばかりは物欲の虜となった。「これ、ください」とほとんど川崎さんの袖にすがりついたが、売約済みの作品だったので、「他の作品を見てください」と言われて、その場は引き下がった。しばらくして、ご招待状を受け取り、展示会で川崎さんの打った新刀を見てその場で購入を決めた。それから拵えに1年半かかって、先日ようやく手元に届いた。

正直言って、私程度の武道家には身分不相応の名刀である。

けれども、伝統工芸や伝統芸能には「旦那」というものが必要なのである。

腕前はまず素人に毛が生えた程度だが、斯道の玄人の仕事を見ると足が震える程度の鑑賞眼は具わっている。そういうレベルの人たちの厚い層が伝統の擁護と顕彰のためにはなくては済まされないのである。

能楽を習い始めた時「旦那芸」として稽古することに肚を決めた。玄人と見所の客の間にいて、至芸に嘆息をついてみせるのが旦那の主務である。落語「寝床」が描く通り、旦那は滑稽で時にはた迷惑な存在ではあるが、伝統が継承されるためにはなくてはならないものである。

今多くの伝統文化が存亡の危機に瀕しているのは、決然として旦那たらんとする人がすっかり減ってしまったからである。

（2020年9月28日号）

中国共産党の推薦図書

『若者よ、マルクスを読もう』というシリーズ本を経済学者の石川康宏さんと共著で書いている。マルクスの代表的なテクストを「高校生にもわかるように」嚙み砕いて解説するという企画である。『共産党宣言』から始まって10年かけてようやく『資本論』までいまたどりついた。感慨無量である。私たちの本を読んでマルクスを読み出した日本の中高生がどれくらいいるかわからないが、なぜかこの本が中国と韓国で翻訳された。

韓国の場合は理解できる。日本の支配の後も朝鮮戦争と軍事独裁が続いた韓国ではいまも国家保安法によって「共産主義を賛美する行為」は処罰の対象となる。だからマルクス研究の蓄

積がない。

しかし、マルクスを知らなければ、近代欧米の社会科学を理解することは難しい。それらの学問は受容するにせよ、否定するにせよ、マルクス主義とどう対峙するかという問題意識に貫かれていたからだ。韓国がこれから自前の社会科学を打ち立てようと思うなら、マルクス研究は必須である。けれども韓国にはその学統がない。

私の知人は大学院生のときにマルクスの本を所有していただけで懲役15年の刑を受けた。明治以来の分厚いマルクス学の蓄積がある日本とは研究環境が比較にならない。

むろん韓国でもいまではマルクス研究が進んでいると思う。ただ、研究者たちにしても「高校生にもわかるように」マルクスの入門書を書くことに時間を割くほどの余裕はないだろう。しかたがないのでアウトソースした、というのがことの次第ではないかと思う。

中国の場合は話が反対になる。

我々の本は中国共産党中央規律検査委員会の推薦図書に指定された。おそらく9200万人の党員の中に「マルクスを読んだことがない」という人が増えてきて、入門書が必要になったのだろう。しかし、まさか党公認知識人に「党員に読ませるから高校生にもわかる入門書を書け」というわけにもゆかない。やむなく翻訳に頼ることになったという事情ではないかと思う。

何はともあれ、日本の高校生向けに書いた本が隣国民のお役に立つことになったのだとした

ら、嬉しいかぎりである。

（２０２１年３月22日号）

日本のテクノロジーの劣化

新聞を開いたら一面トップは「企業管理ツール『トレロ』で利用者の個人情報が公開のまま放置」という記事だった。中の頁にはみずほ銀行のシステム障害は「デジタル化を急ぐあまりシステムの安定運用という基本をないがしろにし」たためという記事だった。

新型コロナウイルス対策の接触確認アプリＣＯＣＯＡは感染症対策の切り札として鳴り物入りで導入されたが、４カ月余り機能不全だったことがわかった。

このところその手の話ばかり読まされている。

先日近くの銀行に行ったら生体認証カードが使えなくなっていた。カードに生体データを入力するから印鑑と通帳と免許証を持ってこいと言われた。生体認証なので通帳には印影がない。でも、それを押さないとカードの更新ができないと言う。

「印影が登録されていない印鑑では本人確認できないし、そもそも生体認証はハンコを不要にする仕組みじゃなかったの？」と聞いたけれど、窓口の女性行員は「すみません」と叩頭（こうとう）するだけで、何も説明してくれなかった。

日本のテクノロジーは気がついたらずいぶん劣化していた。

おそらくどの事例も、システム設計を受注した企業が中抜きして下請けに丸投げし、そこがまた中抜きして孫請けに再委託し、そこがまた……ということが繰り返された結果だと思う。当初予算の何分の一にまで削られた安値で引き受けた末端の小企業が、タイトな納期で、社員を寝かせずにシステムを組んで納品したことの結果なのだろう。

日本の技術力が衰えているのではなく、働く人一人一人の知力技能を最大化するためにはどうすればよいのかという一番たいせつなことに「上の人」が頭を使わなくなったせいである。どの組織でも、質の高いアウトカムをめざすよりも、管理コストを最小化することの方が優先されている。現に、これらの技術的な失敗はどれも「こんなんじゃ使い物になりませんよ」とにべもなく言う「諫言(かんげん)の士」がいれば阻止できたはずのことである。

そういう人たちが排除され、上の指示にひたすら頷くだけのイエスマンで組織が埋め尽くされたせいで日本の技術力はここまで落ちたのだと思う。

(2021年4月19日号)

人類学的真理

今年も「お墓見」の季節がやってきた。

２０１９年の暮れに、釈徹宗先生が住職をされている大阪府池田市の如来寺のお世話で、合同墓を建てた。如来寺の檀家さんたちのためのお墓が「法縁廟」、私の主宰する道場・学塾である凱風館の門人たちのためのお墓が「道縁廟」。

２基が景色の良い山の上に並んでいる。年に１度、法要を営み、それからお墓の前でお弁当を広げて、シャンパンなど喫するのが「お墓見」である。

合同墓を建てるきっかけになったのは、独身者や子どものいない門人から切実な「墓の悩み」を伺ったことである。累代の墓や親たちの墓については最後まで責任をとるつもりはあるけれど、さて自分たちはどの墓に入ることになるのか、自分たちの供養を誰がしてくれるのか、それを考えると不安になるというのである。

「誰が供養してくれるのか」というのは霊的には重要な問題である。

能には「跡弔ひて賜び給へ」というフレーズがよく出てくる。自分の死後の供養をお願いしますという訴えである。その確約を得てはじめて人は成仏できる。

自分が死んだら骨はそこらに撒いてくれ、供養など無用だと言い張るタフな人もたまにいるけれど、人類は葬送儀礼を始めたことで他の動物と差別化された種である。

生物学的に死んだ後も、人は「死者」というステータスにおいて、しばらくの間生者たちに「存在するとは別の仕方で」影響を与え続ける。

死者を適切に弔うことでその「影響」は統御できる。ごくリアルな問題なのである。凱風館は道統・学統を伝える学びの場なので、私が死んだ後も継続的に活動する。だから、この教育共同体が継続する限り、供養してくれる後世の人には事欠かない（はずである）。その人たちが毎年「お墓見」に集って、泉下の人について、「どんな方だったんですか？」と訊いて、それについて年長者が「あの人はね……」と遠い目をして思い出を語る。というのが私の夢なのである。

共同体はともに子どもを育て、ともに死者を供養することで結びつき、存続する。そういう人類学的真理は時代が変わっても変わらない。

（2021年10月4日号）

「近代以前への退行」

講演会では時に思いがけない質問を受けることがある。

先日は「ポストモダンのその後はどんな世界になるのでしょう？」と訊かれた。意表を衝かれて、とっさに「近代以前に退行すると思います」と答えてしまった。口にしてみたら妙に腑に落ちた。質問者はじめ聴衆のいくたりかも大きく頷いていた。なるほど。

内心では時代が「近代以前に戻りつつある」と感じている人がずいぶんいるのだと知った。

ポストモダンは「大きな物語」が無効を宣告される時代だと教えられた。すべての人々はそれぞれの人種、国籍、性別、信教、階級、政治イデオロギーなどなどの「虜囚（りょしゅう）」である。だから、すべての人の世界観には主観的なバイアスがかかっており、「私の見ている世界は客観的な現実だ」と主張する権利は誰にもない。そういう考え方が支配的になった。

そうかも知れないと思った。それがおのれの世界認識や価値判断の客観性を過大評価しないという「節度」を意味するなら、それはけっこういいことではないかと思った。

でも、蓋を開けてみたら、ポストモダンの社会は節度とは無縁だった。

万人が共有しうる客観的現実がないなら、各自が自分にとって都合のよい主観的妄想のうちに安らいでいればよい。

「オレの見ている世界はオレにとってリアルだ。以上、終わり」で話が済むようになった。今にして思えば、「アメリカ・ファースト」と「オルタナティブ・ファクト」のドナルド・トランプこそポスト近代趨勢（すうせい）を代表する人物だった。

ロックやホッブズやルソーは、市民ひとりひとりが私権の制限を受け入れ、私財の一部を供託することで近代の「公共」は成立したと説いた。そのような歴史的事実がほんとうにあったのかどうかは分からないが、その社会契約によって「万人の万人に対する闘い」が終わったと

いうのが近代市民社会が採用した「大きな物語」だった。

だが、ポスト近代にはもう「公共という物語」の居場所がない。そのせいで人々が公権力を私的欲望の実現のために用い、公共財を私財に付け替えることに励むようになったのだとしたら、たしかにこれは「近代以前への退行」と呼ぶ他ない。

（2021年10月18日号）

人口減が農業に及ぼす影響

ある農業団体から講演の依頼があった。演題は「ポストコロナの農業」。私は農業にはまったくの門外漢であるが、農業関係の団体や媒体からよくお座敷がかかる。

「農業の専門家が決して口にしないような話」をしてほしいというご依頼であろうから、ご期待に沿うべく、大風呂敷を広げて、人口減が農業に及ぼす影響について話してきた。

今から80年で日本の人口は60％減ると予測されている。均(なら)すと年間90万ペースでの人口減である。

農村の過疎化が進むにつれて、限界集落に行政コストをかけるのは「金をどぶに捨てるようなものだ」という非情な言説が行き交うようになるだろう。里山は無住地化し、人々は地方の中核都市（コンパクトでスマートでデジタルな田園都市）に集住させられる。

でも、人口減が止まらない以上、そこもまた遠からず「過疎の都市」という逆説的な存在になる。「過疎地に行政コストはかけられない」というルールでゲームが始まってしまった以上、地方の中核都市（だった場所）も捨てられる他ない。そして、気がつけば都市部だけしか人間の住める場所がなくなる。

政官財はこのシナリオでもう合意ができていると私は見ている。

都市部だけが居住可能であれば、そこでの生活は今とさして変わらない。人々が密集していれば地価は上がり、斉一的な消費行動をすれば経済は活況を呈し、求職者が集中すれば賃金は切り下げられる。資本主義にとっては「めでたしめでたし」である。

そればかりではない。「過疎地」というものがなくなってしまうのである。

人の住まない広大な無住地が広がる。見方を変えれば、これは絶好のビジネスチャンスである。生態系を破壊しようと、大気や海洋を汚染しようと、「地域住民の反対」というものを配慮しなくてよいのである。

太陽光パネルを敷き詰めようと、風車を林立させようと、産業廃棄物の処理場にしようと、誰からも文句が出ない。「人口減で巨利を得る仕組み」を考えろという宿題を出されたら私ならそういうリポートを書くだろう。そういう話をしてきた。

リモートなので聴衆がどんな顔で聴いていたのかは分からない。

（2022年2月14日号）

人を惹きつける条件

コロナのせいで海外との行き来が難しくなり、恒例の韓国講演旅行も2年続けて中止になった。代わりにオンラインで講演をした。今回の演題は「地方消滅危機時代の人文知の役割」というものだった。

実は韓国も日本と同じく急激な人口減局面にある。

合計特殊出生率は0・81という驚くべき数値である。21世紀末には今の5200万人から2千万人にまで人口が減り、世界最高の高齢社会になるという予測もある。

それでも韓国社会にはあまり危機感が見られないという。それは「北」からの移民労働者の受け入れを当てにしているからだという話を少し前に韓国の方から伺った。

南北統一はまだ先の話としても国境線を越えての人の移動はいずれ可能になる。

南は北に投資し、北は南に労働力を提供する。そういう未来を韓国社会は期待しているので、少子化対策にあまり必死で取り組まないのだという説明だった。

だが、地方の人口減とソウルへの一極集中はすでに危機的な水準に達している。だから私に意見を訊きに来たりするのである。

人口減に直面するのは、日本と韓国ばかりではない。中国も台湾もこれに続く。経済活動を維持しようとすれば、どの国もいずれ海外から移民労働者を呼び込まなければならない。

中国はたぶんアフリカと「一帯一路」関連国を当てにしている。台湾は香港から逃れてくる人たちを当てにしている。韓国は「北」を当てにしている。日本にだけ当てがない。

マンパワーを備給できるのは、インドネシア、フィリピン、マレーシア、ベトナムなど人口が多く若い国である。これらの国相手の「人の取り合い」がいずれ始まる。

その時、人を惹きつける条件は何か。賃金では日本はもう国際競争力を失いつつある。提供できるものがあるとすれば、政治的自由と「歓待」の構えくらいである。人種も言語も宗教も生活習慣も異なる人たちを受け入れ、共生できる社会にしか生き残るチャンスはない。「多様性と包摂」はきれいごとではなく、生き延びるための必須条件なのである。

そのことに気づいている人が今の日本にはあまりに少ない。

（2022年2月28日号）

贅沢な時間

瀬戸内海に牛窓（うしまど）という古くからの港町がある。

そこに映画監督の想田和弘さんと柏木規与子さんご夫妻をお訪ねした。ニューヨークに拠点を置くお二人は以前から柏木さんの母方の故郷であるこの町で長い休暇を過ごしていた。「牡蠣工場」と「港町」という二つのドキュメンタリーの傑作もここで撮影された。

コロナで日米の行き来が不自由になったことをきっかけに、ご夫妻は長く暮らしたニューヨークを離れて、牛窓に定住することを決めた。世界で最も活動的な都市を離れて、老人と猫ばかりが目立つ過疎の港町で暮らすことにしたのはどうしてなのか、それに興味があった。

目の前がすぐ海という部屋で話し込んでいるうちに、日が傾き、海に沈み、空が紅に染まり、やがて群青色の夜空に星が輝き始めた。

部屋の灯りを点けずに、月明かりと星明かりの下で話し続けた。贅沢な時間だと思った。ここでは時間の流れは時計で計測されるものではなく、五感に直接触れてくる。

日々、スケジュールに追われながらあくせくと暮らしている私に比べて、この人たちはなんと豊かな時間を享受しているのか。

羨ましくなって、「時間富豪ですね」と嘆息してしまった。

われわれの話の主題は「地方移住」だった。牛窓にも移住者が増えている。古い町屋を改造してカフェやパン屋や工房や画廊を営んでいる。家賃が都市の5分の1ほどだから、あくせく

働く必要がない。

「いい店なんですけれど、なかなか開けてくれないんです」と想田さんが笑っていた。

都市で低賃金・非正規労働で心身をすり減らすよりも、こんな静かな町で暮らす方がはるかに豊かな生活が送れるのに、なぜそういう選択を試みないのだろう。

最大の理由は情報が足りないことだ。地方にどんな雇用やビジネスチャンスがあるのか、都市の労働者には知る手立てがない。「喉から手が出るほど人が欲しい」地方の求人の事業体と都市の求職者をつなぐ就職情報システムが存在しないのだ。

キーボードを叩くだけで仕事がみつかるシステムの構築こそ「地方創生」の急務のはずなのだが政府も自治体も動く気配がない。いったいなぜなのか。

（2021年11月29日号）

コロナ後、子どもたちはどう生きたらよいのか

このところ中学生高校生やその保護者たちの前で講演する機会が続いた。演題はどれも「コロナ後の世界で子どもたちはどう生きたらよいのか？」というかなり切実なものである。

子どもたちも親たちも、これまでのようなキャリア形成の道筋はこの先の日本社会では通用

しなくなるのではないかと漠然とではあれ感知している。

だから、社会システムもどこがどう変わるのかを知りたく思うのは当然である。とりわけ「どういう専門分野の知識や技能がこの先『食いっぱぐれ』がないか？」が知りたい。これから産業構造がどう変わるのかについてある程度見通しが立たないと、専攻や職業をうかつには決められない。私がお話しするのは三つ。

第一は、人獣共通感染症によるパンデミックはこれからも定期的に起こり続けるだろうから、「たくさんの人を過密な場所に集めて斉一的な行動をさせる」ことで成り立つ事業、必要なものを海外から調達しないと成り立たない事業はしばしば継続が困難な状況に立ち至るだろうということ。

第二は、ＡＩの普及によって機械に代替可能な仕事は雇用が減るだろうということ。ただ、どの業種でどれほどの規模の雇用消失が起きるかは、正確には予見できない。

第三は、それでも雇用が残るのは、生身の人間を相手にして、彼らが健康で人として豊かな生活ができるように身近で支援する仕事であるということ。

米連邦政府は「どの業界が将来生き残るか」というようなシリアスな問題について遠慮のない答申を出す。この点で、産業界の意向を忖度(そんたく)して、彼らにとって不都合な情報は知っていても公開しない日本の政府やメディアとは覚悟が違う。

その「遠慮のない」米政府の出した統計データによると、雇用が減るのは金融・情報・製造業など。雇用が残るのは、行政・医療・教育。要するに、人間を機械に代替することで生産性が上がる領域ではしだいに雇用がなくなり、金儲けには結びつかないが、「どうしても人手が要る」という領域には雇用が残るということである。当たり前と言えば当たり前である。そう聴くとだいたい生徒たちも親たちも安堵（あんど）の表情を見せる。

（2021年12月27日号）

「自分を変える」ことに興味を示さない男たち

私の道場では週1度座卓を並べてゼミをしている。

私は病的な出不精で、ほとんどの時間を原稿を書くか、古い本を読むか、古い映画を観るか、武道の稽古をして過ごしているので、正直言って今の日本社会で起きていることをよく知らない。もちろんメディア経由で情報は入るが、それは今日本のシステム内で働き、子どもを学校に通わせ、地域社会とかかわっている現役世代の口から聴く証言の生々しさには遠く及ばない。

先日の発表は「どうして日本のオヤジたちはこんなにダメなのか」という身もふたもないタイトルのものだった。発表者はもちろん女性である。その一言一言にゼミに参加している女性たちが深く頷いていたから、これは彼女たちにとって最も切実かつ最も悩ましい主題であるに

もかかわらず、メディアではまず取り上げられることがないのだろう。「男たちがダメになった」歴史的理由、制度的理由、家庭的理由などが列挙されたが「これだ」という決定的なものは見いだせなかった。

私見によれば、日本の男たちは「世界標準に追いつけ」というキャッチアップ型の目標設定があるときは自分の中の地域限定性や歴史的後進性にかなり自覚的であり、それと世界標準との不整合に「苦しむ」ということがある。

そういう男たちはなかなか考え方も柔軟で、そこそこ視野も広い。しかし、とりあえずの目標が達成されると、「世界標準に合わせて自分を変える」ということに対して激しい抵抗を示すようになる。もともとが「苦役」なのだから、目標達成した以上「もう努力なんかしたくない」という本音が出るのは当然である。

近代日本では、明治維新から日露戦争まで、敗戦から高度成長までが「キャッチアップ」期に相当する。そして、それぞれそれ以後男たちは「システムを変えること」には惰性的に取り組みはするが、「自分を変える」ことには全く興味を示さなくなる。

そして、おのれの幼児性、土着性に居着くようになる。

という思いつき仮説を私が申し上げたら、女性聴講生たちはこれにも深く頷いていた。

ほんとにそうなのかもしれない。

（2022年5月16日号）

「最悪の事態」への想像力

ある出版社から米国論を出すことになり、ゲラを毎日直している。参考のためにいろいろな米国論を読んだが、一番面白かったのはやはり「フォーリン・アフェアーズ・リポート」である。

これは外交問題評議会という100年ほど続いているシンクタンクが出している月刊誌だけれど、「どうすれば米国の国益は最大化するか」という話に徹していて、「世界平和」とか「人権」とか「民主主義」とかいう「政治的に正しい課題」は副次的目標に過ぎないという肚(はら)の括(くく)り方がいっそすがすがしい。

どこの国籍であれ学者が書く論文はどうしても客観的かつ公正中立であることが求められるが、ここに書く人たちはその点で遠慮がない。本音むき出しである。

私が感心するのは、寄稿者たちがこれから米国にいかなる「最悪の事態」が訪れるかについて実にカラフルな想像力を発揮する点である。

「誰も思いつかなかった最悪の事態を想定して、それに備える提言ができる人」が米国では高く評価されるようだ。

この風土を私は羨ましいと思う。

日本ではこうはゆかない。

「最悪のシナリオ」を思いついた知性に敬意を表するという習慣は本邦にはない。日本ではそれは「敗北主義」と呼ばれる。

戦前は「当方のすべての作戦が成功して、敵の作戦がすべて失敗すれば皇軍大勝利」というシナリオを書いた参謀たちがめでたく出世を遂げた。そのせいで日本は歴史的敗戦を喫したわけだが、日本人はその経験からさして学習したようには見えない。

今でも「敗北主義が敗北を呼び込む（だから景気のいい話だけしていればいい）」と信じている人たちがわが国の要路を占め、世論を形成している。

今米国の外交専門家が主題的に扱っているのは「米中ロ3国すべてにおいて国運が衰退し、カオス化した世界で米国はどうふるまうべきか」というずいぶん暗鬱な論件である。でも、その「カオス的世界」の細部を描き出す時、人々の筆致はよく走る。

たぶん「ディストピア」についてはできるだけ詳細に描くことによって、その到来を阻止することができるという信憑があるからだろう。

私もこの点については彼らに同意したい。

（2022年11月21日号）

第3章

パンデミックと東京五輪

被害者のような顔をしている人たち

国際オリンピック委員会のバッハ会長が、マラソンの会場を札幌市に移す案を提示した。寝耳に水の東京都はこれに反発して、時間のさらなる前倒しや被災地への会場移転を逆提案している。

都知事が「北方領土でやればどうか」と捨て台詞(ぜりふ)を吐いて外交問題にまでなった。もう収拾がつかない。

アスリートが質の高いパフォーマンスを達成するために真夏の東京は全く適さない。そのことは日本人なら誰でも知っている。しかし、五輪招致委員会は東京の夏は「温暖でアスリートに最適」という真っ赤な嘘をついて招致を実現した。

札幌への移転提案を受け入れた場合、そのコストは誰が負担することになるのか。

これまでマラソンのために投じた舗装の改良工事費300億円が無駄になるばかりか、札幌での競技開催にも新たなコストが発生する。その請求書を回されたら都民だって怒り出すだろう。

問題は「これは私のせいです」と言って公的に謝罪する人間がどこにもいないということで

ある。なぜか全員が被害者のような顔をしている。

ことの筋目から言えば、招致に際して虚偽を述べた五輪招致委員会理事長竹田恒和前ＪＯＣ（日本オリンピック委員会）会長が責任を取るべきであろう。

だが、彼は五輪招致票を買収した容疑でフランスの司法当局の捜査対象となっており、すでにその職を辞している。五輪関係者たちはできれば彼一人に責任を押し付けて、自分たちは被害者のような顔で現場からそっと立ち去る算段でいるのだろう。身から出た錆(さび)とは言いながら、気の毒な人である。

気になるのは、他の競技団体も黙ってはいないのではないかということである。

東京の真夏ではアスリートの健康リスクが高すぎる。ハイレベルの競争も期待できない。ならば、われわれの競技も涼しい土地でやりたいと言い出した場合、組織委員会にはそれに「ノー」と言えるどういうロジックがあるのだろうか。

多分誰にも対案はないと思う。

「最悪の場合」については考えないという習慣を内面化した人たちに大きな仕事を任せると「こういうこと」になる。

だから、「五輪招致反対」と言い続けてきたのだが、結局予想通りになってしまった。

（２０１９年11月４日号）

政治と市場が関与してはならないこと

新型コロナウイルスの感染はこの原稿が掲載される日にどうなっているか予測がつかない。たぶん事態は今以上に危機的になっていると私は予測している。

今回の事件に日本社会の本質的な脆弱性が露呈されたと思っている人は少なくないだろう。私が日本社会の弱さと思うのは「社会的共通資本」という概念が定着していないことである。社会的共通資本とは人間が集団として生きるためにそれなしでは生きてゆけないもののことである。海洋・森林・河川といった自然環境、上下水道・交通網・通信網・電力などの社会的インフラ、そして行政・司法・教育・医療などの制度資本がこれに当たる。

これらの制度設計・管理運営は専門家が専門的知見に基づいて、理性的かつ非情緒的に行うべきものであって、政治と市場はこれに関与してはならないとされる。別に政治イデオロギーはつねに有害であるとか、金儲けは悪であるとか言っているわけではない。政治と市場は複雑系だという話である。

複雑系ではわずかな入力の変化が巨大な出力変化をもたらす。政治と市場に人々が熱狂するのは、予測もしなかった急激な変化が連続的に起こるからであ

る。変化が好きな人間には深い愉悦(ゆえつ)をもたらす。

だが、社会的共通資本の管理ではめまぐるしく変化することよりも、定常的であることが最優先される。政権交代したら水道が出なくなったとか、株価が下がったので学校や病院が閉じたというようなことがあっては困るからだ。

感染症対策は専門家が専門的知見に基づいて管理すべき事案であって、政党支持率や景況とは関係がない。

ということを、どれだけの人が自覚しているだろうか。

今回のコロナウイルスの政府の対策会議は1月30日の第1回から2月14日の第9回まで一人の感染症専門家もなしで開かれていた。会議時間は10分から15分。ここで感染症対策についてのテクニカルな議論が深められたと信じる人はいないだろう。

政治家や官僚や財界人ではなく、まず専門家がハンドルすべき重大事案がこの世には存在する。そのことについての合意が日本社会には存在しない。

(2020年3月2日号)

ポスト・コロナ期、米中の先見性の差

コロナの話を書きたいのだが、日々状況が変化しているので、うかつなことを書けないとい

う話は以前もした。

「ニューズ」がたちまち「旧聞」に化する時代に私たちは生きている。

これは端的に「よくないこと」だと私は思う。何を言っても、少し時間が経てば誰も見向きもしないということが習慣化すると、私たちはもう「一言を重んじる」という習慣そのものを失ってしまうからである。

過去の自分の発言の誤りを検証し、どんなデータを見落としていたのか、どんな推論上の誤りを犯したのかを吟味することは、私たちの判断の精度を高めるために必須の作業である。

しかし、「そんな昔のことは誰も覚えちゃいない」で話が済むのなら、私たちは失敗から学び、判断の精度を上げることができなくなる。

だから、タイムスパンを広めに取って、正否の検証のために数カ月ないし数年を要するような「気長な仮説」を優先的に提示する方がよいのではないかと思いついた。

仮説の検算という「楽しみ」を数カ月先まで先送りできれば、その間はずっと自説の当否についてどきどきしていられる。速報性はないが、とりあえず自分の知性がまともに機能しているかどうかを検証することはできる。

というわけで、「ポスト・コロナ時代」の話をすることにする。

私の現状認識が適切であれば、蓋然性の高い未来予測ができるはずである。

ポスト・コロナ期についての未来予測のトップは「アメリカの相対的な国威低下と中国の相対的な国威向上」である。

コロナ禍への対応に際して、トランプ大統領は秋の大統領選という短期目標を優先して、米国の有権者以外誰も喜ばない自国ファースト政策を選択した。

一方、習近平主席は国際社会に「中国の味方」を増やすというもう少し先を見越した政策を選択した。軍拡や「一帯一路」への協力要請よりも、医療支援を通じて国際社会に中国に対する信頼を醸成することの方が安全保障上の費用対効果がよいということに中国は気がついた。

米中のこの先見性の差はポスト・コロナ期に予想以上に大きな影を落とすだろう。

この私の予測は果たして当たるだろうか？

（2020年4月13日号）

危機耐性に強い国の条件

コロナ禍の経済への打撃は予想を超えて大きい。

IMF（国際通貨基金）は2020年の世界経済の成長率はマイナス3・0%と予測。世界恐慌以来の数字である。

米国はマイナス5・9%、ユーロ圏はマイナス7・5%、日本はマイナス5・2%。感染が

年末までに終息しなければ、21年もマイナスになる可能性がある。

日本は高度成長期、安定成長期、低成長期と推移してきたわけだが、ここに来て「マイナス成長期」という未知のフェーズに入ったことになる。

これまでの経済政策を準用することはもうできない。

五輪、万博、カジノ、リニアなどはすべて「右肩上がり」を前提にした政策であるから、マイナス成長期にはほとんど効果がなく、むしろ害をもたらすだろう。

このような条件の下で私たちはどうふるまえばいいのか？

とりあえず今回のコロナ禍から私たちは「危機耐性が強かったのはどういう条件を満たした国か」だけは学んだ。

それは――

・最悪の事態に備えて国民資源に「余裕（スラック）」を残しておいた国
・医療品、食糧、エネルギーなど生き延びるために必須の物資を他国に依存せず自給自足できる国
・「自国ファースト」に閉じこもらず、国際協力の手立てを工夫した国
・指導者が国民に明確なメッセージを発信し、「正常性バイアス」にとらわれない大胆な政策を採択した国

である。

それらの条件を満たすことがこれからの「あるべき国」の条件になるだろう。

いま不用意に「国」と書いたが、実際にはパンデミックに際して活動の基本単位になったのは必ずしも「国」ではなかった。

中国、韓国、台湾などではたしかに「国」が中枢的に機能して感染制御に成功した。だが、米国では連邦政府と州政府で政策に違いがあり、州政府の指導者の資質が市民生活に直結した。

日本でも政府方針に抗って独自の住民支援に踏み切る自治体が出てきた。危機に際会した時には、政府に全権を委ねるべきか、市民生活に近い政治単位に権限や財源を委譲すべきか、私たちが久しく閑却してきた地方自治にかかわる根源的な問いがいきなり目の前に突きつけられた。国民はこの問いへどう答えるだろう。

（2020年4月27日号）

コロナ禍に思う『三国志』の言葉

県の緊急事態宣言を承けて道場をお休みにしてから、ひと月が経った。休みはまだしばらく続きそうである。

合気道の稽古では、多い時は70畳の道場に40人くらいがひしめくので、いくら手指消毒し、換気を心がけても「密集・密着」は避けがたい。

道場を休みにしたので、とりあえず畳替えをしてみた。

青々とした新しい畳表の香りが道場を満たしたけれども、それをともに言祝ぐ相手がいない。しかたなく毎朝一人で神棚に向かってお勤めをして、気が向くと謡と仕舞の稽古をし、居合を抜いたりしている。

Zoomというものの使い方を教わったので、それで寺子屋ゼミは予定通り開講した。ゼミなら、リモートでも対面でも、それほど手応えは変わらない。神戸まで来られない遠隔地や海外からの受講生も参加できるようになったので、宣言解除後も希望者はそのままオンラインで受講してもらうことにした。

インタビューや対談・鼎談もこのところすべてオンラインである。家から出ないので、原稿書き仕事は捗り、「文債」だけはだいぶ片付いた。

仕事用に東京に部屋を借りていたのだが、もう2カ月行っていない。

もともと「東京五輪で、東京のホテルが予約しにくくなる」と聞いて、東京に出張する門人たちと共同利用するつもりで借りたのだが、まさかこんなことになるとは思わなかった。使わない部屋の家賃を毎月払っていると、休業中もテナント料だけは払い続けている人たちの気持

ちが少しわかる。

稽古がなくなっても、私には物書き仕事があるが、妻は能楽師なので、もう三月ほど仕事がない。秋までの公演もほとんどキャンセルになった。「遊行の芸人」が家で足止めを食らっている。陸に上がった河童のようで、見ていて気の毒であるが、どうしようもない。

『三国志』に「髀肉之嘆」という言葉がある。

戦乱が収まって平穏な日々が続いて、馬に乗って戦場を疾駆する機会がなくなり、内腿の筋肉が落ちたことを劉備が嘆いた故事による。

私の場合は稽古が減ったせいで、足が細くなってしまった。

こんな生活がいつまで続くのだろう。

（2020年5月18日号）

父に教わった基準

「大義名分を掲げると、ふだんなら許されないような攻撃的なふるまいが許される」と知ると他人に対して攻撃的になることを自制できない人たちがいる。

私たちの社会はそういう人たちを一定の比率で含んでいる。

長く生きてきたので、いろいろな機会にそういう人たちを見てきた。

最初に出会ったのは大学の構内だった。「階級的鉄槌（てっつい）を下す」というような空疎な政治的大義名分の下に、ふつうの学生がいきなり形相を変えて暴力的になるさまを見て、私は「人間というのは怖いものだ」と思った。

戦中派の人たちは戦時下に「お国のため」という大義名分の下に人間がどれくらい残虐になったり非道になったりできるのかを実見した。

私の父は敗戦まで長く中国にいた。

そこで何をしてきたのか、父は詳しく語ったことがない。

でも、子どもの私に向かって繰り返し「人を見る時は、自分の哲学を持っているかどうかを見ろ」と教えた。

子どもには難しい話だったが、父親の真剣なまなざしから、人間には、自分の手作りしたモラルに従って生きるものと、「人から借りた言葉」を振りまわすものの2種類がいること、後者を絶対に信じてはいけないという気迫のようなものを感じた。

コロナ禍の中で「自粛警察」というものが現れた（同じようなものはアメリカでも報告されている）。医療従事者の子どもを通園させるなと言い出した保護者がおり、県外ナンバーの車を煽（あお）った人たちがいた（アメリカではアジア人に暴力がふるわれた）。

彼らは別に公衆衛生に配慮してそのような行動をとっているわけではない。感染をスティグ

マ化すれば、感染経路不明の患者が増えるだけだから、「自粛警察」などというものは有害無益なのである。

それでも、他人を傷つけたり、不快にしたり、屈辱感を与えることのできる大義名分を見つけると、その機会を見逃さない人たちがいる。

この人たちは、ふだんは穏やかなおじさんや気さくなおばさんの顔をして、ふつうに街を歩いている。彼らを識別する手がかりとして私は父に教わった基準しか知らない。「空語」や「定型句」を濫用する人間を信じるな。

（2020年6月1日号）

生存戦略上の有利さ

コロナの影響で、東京のオフィスビルの空室率が上昇しているという記事を読んだ。当然だと思う。テレワークが普及してくれば、家賃の高い都心部に大きなオフィスを構える必要はない。もう満員電車での通勤も、全員が一堂に会する会議も、書類へのハンコ捺しも必要ないことがわかった。

週に1、2度の出社で済むなら、海が見えたり、山懐深くであったり、温泉が湧いていたり、住環境が快適なところに人は移るだろう。これから房総や信州や伊豆への人口移動が始まって

も私は驚かない。

今回のパンデミックで都市は感染症に弱いということがよくわかった。狭い空間に人が密集し、斉一的な行動を取る場所は感染症の温床である。だから、最初の感染爆発はクルーズ船で起きた。

感染症を物理的に防ぐ方法は一つしかない。感染経路の遮断である。マスク着用も、手指消毒も、ソーシャル・ディスタンシングも、都市封鎖も、程度の差はあれ、感染経路を物理的に遮断するという原理においては変わらない。「他の個体と離れて、違う生き方をして暮らす」ことが、こと感染症については最も安全なのである。

１６６５年にロンドンをペストが襲った。疫病は18カ月続き、市民の4分の1が死んだ。その時生き残ったのは、感染初期にロンドンを逃げ出した貴族や金持ち。彼らは田舎に住む家があり、生きる手立てがあった。はやばやと大量の食糧を買い込んで、扉を閉ざして家に閉じこもった者たちも生き延びた。

ゆくあてがないのでやむなく市内に残り、食べるために生業を続けざるを得なかった市民が死んだ。疫病が教えるのは、他の個体とふるまい方を変えることが生存戦略上は有利だということである。

生物は同一環境内で共生するために、夜行性と昼行性、肉食と草食、樹上生活と地下生活というふうに生態学的ニッチを「ずらす」。そうすることで有限な資源を共有し、環境の激変を生き延びることができると知っているからだ。

人獣共通感染症はおそらくこれからも数年おきに襲来するだろう。

私たちは否応なく「ニッチをずらす」生き方を選択せざるを得ないであろう。

（2020年8月17日号）

「諫臣」なき組織の末路

公式会議で女性蔑視発言を行ったことが国際的な批判を浴びた森喜朗五輪・パラ組織委員会会長が辞任した。

五輪憲章には人種、肌の色、性別、性的指向、言語、宗教、政治的意見など、いかなる理由による差別も受けることなくスポーツする権利が謳われている。五輪事業の正統性を会長自身が傷つける発言をなしたのであるから当然の帰結である。だが、日本の関係者は早期の幕引きを図り、メディアの反応も鈍かった。

この出来事は女性蔑視に慣れ切った日本の男性エリートたちのホモソーシャル体質を世界に

露呈させた。組織によって指導部に占める女性比率はずいぶん違う。

私が主宰している凱風館の運営委員会は男性3人、女性5人である。凱風館は立場にかかわらず、意見のある人が意見を言い、自分が言ったことに責任をとるという機能的な組織なので、いつの間にか執行部の多数が女性になった。

学習会や音楽や演劇の公演や旅行などのイベントの企画者・責任者も多くは女性である。特に「アファーマティヴ」な仕掛けをしているわけではない。性別にかかわらず仕事ができる人、したい人に仕事を任せていたら、こうなったのである。

以前、ある美術館の職員研修の講師に呼ばれたら、聴講者のほとんどが女性だった。事務方の男性に「そういう採用方針なんですか？」と訊いたら、性別にかかわらず「仕事ができる人」を採用してきたら、いつの間にかこうなっていたという答えだった。

たぶん多くの業種でもそうなのだと思う。

「仕事ができる人」に仕事を任せるというシンプルなルールを採用していれば、ジェンダーギャップ指数が世界121位などという結果になるはずがない。

今回の事件で露呈したのは、日本の多くの組織は単に性差別的であるというだけでなく、能力主義的でさえないという事実だったと思う。現に、森会長の「女性差別発言」をJOCの男性評議員たちは笑い声で迎えた。会長の不見識を咎(とが)める「諫臣(かんしん)」は一人もいなかったらしい。

久しく日本の組織の多くは女性より男性を、能力よりも上位者への忠誠度を重く見て人事を行ってきた。そのような組織の末路を私たちはいま見ている。

（２０２１年２月22日号）

「レジリエンス」が米国の底力

米ウィスコンシン州の州都マディソンで暮らしているゼミの卒業生がときどき近況を知らせてくれる。先週届いた便りでは、マディソンでのコロナワクチンの接種状況を知らせてくれた。少し前にバイデン大統領は、７月４日には家族や友人と庭に集まって独立記念日を祝える可能性があると語った。

米国では接種会場を増設する一方、獣医や歯科医にもワクチン接種に当たらせ、政権発足から58日目で接種１億回に達した。

マディソンでも、ワクチン接種は順調に進んでいる。

医療従事者と65歳以上の高齢者から接種が始まったが、それ以外にも接種を受けている人はいて、彼女の周りでは、治験に参加した人、軍歴の長い人、ボランティア活動にかかわっていた人など、なんらかのかたちで身体を張って「公共の利益」に貢献した人が優先的に接種を受けているということだった。

ＳＮＳではワクチン接種済みの証明書の写真を上げて「グッドバイコロナ」と書いている人も出てきた。人々の表情が明るくなってきて、「確実に夜が明けようとしている気配」を彼女は伝えてくれた。

米国はトランプ大統領時代には感染者数、死者数とも世界最多だったけれども、大統領が交代すると一気に感染抑制が進んで、「脱コロナ」の先頭走者に躍り出た。

この「レジリエンス（復元力）」が米国の底力だと改めて思った。

卒業生のメールを読んで、米国ではワクチン接種の優先順位についてきちんとしたプリンシプルがあることを羨ましく思った。

医療従事者と重症化リスクの高い人から接種という順序までは日本でも守られるだろうが、その後に「公益に貢献した」という基準を導入したら、いきなり収拾がつかなくなることは目に見えている。

今の日本では「公共的」とは官邸と「近い」ということがほぼ同義だからである。

権力周りが「公共空間」であり、そこに出入りする人間はさまざまな公的支援を享受できる一方、官邸から「遠い」人間は公益に貢献する機会そのものに縁がないとみなされ、当然ながらいかなる公的支援も期待できない。

ワクチンでも同じルールが適用されるのだろう。

（２０２１年４月５日号）

よその祭事なら口をはさまない

ワクチン接種の案内がうちにも届いた。

かかりつけの病院に電話をしたら、予約に来てくださいと言われた。歩いて5分の病院の待合室で1時間ほど待って予約を済ませた。

1回目の接種が7月19日、2回目が8月9日。「電話がつながらない。ネット予約がすぐに埋まる」という泣訴をネットで読んでいたので、心配していたのだけれど、予約までは簡単に済んだ。私の2回目の接種日は東京五輪（が開催された場合）の全競技日程終了の翌日に当たる。このペースだと、ワクチン接種が人口の6〜7割に達して集団免疫の獲得が期待できるのは、早くても年末、遅ければ来年になるだろう。

日本にとって最優先の課題は感染の収束である。国民の健康と経済活動の再開を本気で配慮するなら、感染を拡大するような行為については最大限抑制的であるべきである。そんな理屈は子どもでもわかる。五輪開催まで2カ月を切った今も日本各地は緊急事態宣言下にある。

日本の感染状況を憂慮した米国政府は5月24日に日本を「渡航中止」国に指定した。米国のCDC（疾病対策センター）はワクチン接種済みでも変異ウイルスに感染するリスクがあるこ

とを重く見たのである。

緊急事態宣言は解除されず、米国から渡航中止国に指定されたにもかかわらず、この原稿を書いている時点（5月27日）ではＩＯＣ（国際オリンピック委員会）も政府も組織委員会も五輪中止を告げる気配がない。なぜ、感染リスクを確実に増大させるイベントの開催に当事者たちはこれほど固執するのか。誰か合理的な理由を教えて欲しい。

たしかに参加者がしばしば命を落とす危険な祭事は世界中に存在する。仮に祭事でいくたりかの死者が出ても、その儀礼によって集団が固く結びつけられるなら、算盤勘定は黒字になるということは経験的にはあるのかも知れない。

よその祭事なら、私も口ははさまない。

しかし、五輪憲章は五輪を「スポーツを文化、教育と融合させ、生き方の創造を探求するもの」と定義している。「生き方の創造を探求する」イベントで死者を出した時にはどういう言い訳があり得るのだろう。

（２０２１年6月7日号）

東京五輪強行の意味

東京五輪有観客開催に向けて、政府と組織委員会の暴走が止まらない。

パンデミックが終息にほど遠い状態で、大量の人口移動と接触機会の増大を伴う五輪開催は理性的に考えてあり得ない選択である。

懸念されていた通り、海外から来日するアスリートや関係者たちの検査体制に著しく信頼性が欠けていることは先日のウガンダ選手団の感染事例から明らかになった。このような検査体制であれば、五輪会場や選手村や合宿所で感染が広がるリスクはきわめて高い。

医療従事者は第4波対応とワクチン接種で疲労の限界にある。

こんな状況での五輪強行は「ほとんど狂気の沙汰」である。

後世の史家は「2021年の日本人は正気を失っていた」と書くだろう。

それでも開催を強行しようとする以上、主催者側には主観的には合理的な理由があるはずである。それは何かが、私にはどうしてもわからない。

五輪を開催しないと、どこかの国が軍事侵攻するとか、国土の一部を割譲しなければならないとか、国が傾くほどの賠償金を科せられるというのなら、わかる。それならたとえ感染爆発で百人・千人単位の死者が出ても、国としての算盤勘定は合うだろう。

けれども、それ以外に国民の生命と健康を危険にさらしてまで五輪を開催する理由は見当たらない。政府の面子だの、IOCへの義理だの、スポンサー企業の利益確保だのということは理由にならない。ましてや「スポーツを通じて国民に勇気を」とかいうのは悪い冗談以外の何

ものでもない。民主国家の政府が最優先に配慮すべきは国民の生命である。

だから、副次的な要素をすべて削ぎ落として単純化すれば、問題は「五輪を開催することによって救われる命」と「それによって失われる命」とどちらが多いかということに尽くされる。開催を強行する根拠があるとすれば、それは「五輪開催で救われる国民の命」は「失われる命」よりも多いということについて政府も組織委員会もたしかな見通しを持っている以外にない。それなら話はわかる。では、その根拠となる科学的データをいますぐここに出して欲しい。

（2021年7月5日号）

最後まで五輪中止を訴え続けたい

再び五輪中止を求める。

「その話はもう飽きた」という読者もおられるだろうが、このまま五輪強行開催を座視することは私は市民として耐えがたい。最後まで五輪中止を訴え続けたい。

5月に弁護士の宇都宮健児氏が五輪中止を求めるオンライン署名を始めた。35万筆が集まった時点で都知事宛てに署名簿が提出された。

だが、都からは何の反応もなかった。署名簿をどう扱うかについて話し合いさえ行われなか

った。開示請求に都はそう回答した。

7月に入って、飯村豊氏、上野千鶴子氏ら13人が呼びかけて五輪の開催中止を求める別のオンライン署名が始まった（この署名には私も呼びかけ人として参加している）。

首都圏では感染が再拡大している。第5波の到来も懸念されている。ワクチンの接種率も先進国最低レベルのままである。ワクチン不足で多くの自治体で接種予約がキャンセルされた（私もキャンセルされた）。

選手団は次々と来日しているけれども、感染者が続出している。入国者と一般市民を完全隔離するはずの「バブル方式」がまったくの空語であることはメディアが報じている。

このような公衆衛生上の危機の中で、五輪の「安心・安全」をどうやって保障する気なのか。説得力のある科学的根拠はいまだに誰も示してくれない。

だが、安倍政権以来、為政者が「政治的判断について合理的根拠を示さない」ということに日本人はもうすっかり慣れてしまったようだ。日本人はある時点から政治家に「自分たちを説得してくれ」と求めることを止めてしまったらしい。

「自分が下した判断についてその根拠を示さないでも罰されない者」のことを「権力者」と呼ぶ、ということがいつの間にか日本社会の常識に登録されてしまったからだろう。

政府が国民的反対を押し切ってまで五輪の強行開催に固執するのは、そうすれば、自分たち

がどれほどの権力を持つか、国民がいかに無力かを思い知らせることができると思っているからである。今回の五輪が無理押しできるようであれば、これ以後はもうどのような無法についても、国民は黙って従うだろう。

（２０２１年7月19日号）

差別への無理解

五輪憲章はＪＯＣのホームページで読むことができる。その「根本原則」は「オリンピズムとは一つの生きる哲学である」という言葉から始まる。

「オリンピズムは努力することの歓び、良き模範がもたらす教育的価値、社会的責任、そして普遍的で根源的な倫理的な諸規範に対する敬意に基づいた生き方を創造することをめざす」と憲章は謳っている。

崇高な目標だと思う。「きれいごと」だし、いささか「欲張り過ぎ」だとも思うけれど、こういう目標は非現実的でも構わないのである。

透視図法における無限消失点のようなもので、それをめざして努力して、それが達成できないまま、前のめりに倒れた人たちが何世代にもわたってバトンを引き継ぐならば、「根本原則」は十分にその役目を果たしていると言ってよいと私は思う。

でも、正直に言って、今の五輪の実相は憲章の目標と隔たること遠いと言わねばならない。女性差別、ルッキズム、障害者差別に続いて、今度はホロコーストを笑いネタにした事件で開会式の演出担当者が解任された。

いったい組織委員会はスタッフの人選に際して「五輪憲章の趣旨をよく理解している」ということを条件にしていたのだろうか。

根本原則の第6条にはこうある。

「この五輪憲章に定める権利および自由の享受は、人種、肌の色、性別、性的指向、言語、宗教、政治的その他の意見、国あるいは社会的出自、財産、家柄などの地位によるいかなる差別も受けることなく保障されなければならない」

この文言が採用されたのは２０１４年からである。当初は「いかなる差別をも伴うことなく」という抽象的な言い回しだったものが次第に差別の具体例を列挙するようになり、ついに今のように網羅的なものになったのである。

この「根本原則」の書き換えの推移を見ると、ＩＯＣが差別にかかわる国際世論に対して非常に神経質であったことが窺える。

東京五輪のスタッフに参加する人たちには、まずこの点についての「研修」がなされるべきであったのではあるまいか。もう遅いが。

（２０２１年8月2日号）

今の官邸に「論理的であること」は求められない

この原稿が活字になる頃に、コロナの感染状況はどうなっているだろう。東京では少し前に感染者が4千人を超えた。たぶんこの記事が出る頃には5千人を超えているだろう。それでも五輪は開催され、テレビは朝から晩まで「日本選手の活躍」を笑顔で報道している。五輪関係者からも感染者が出ているけれど、「バブル」は機能しており、感染は「想定内」だから懸念するには及ばない、感染拡大と五輪開催はまったく無関係だと政府も組織委員会も言い続けている。

一方、全国知事会は「県境を越えた移動の自粛」を求めていたが、どうなっただろうか。おそらく実効的な対策はとれなかったと思う。五輪関係者については「十分な配慮をしているので、移動しても感染は広がらない」と政府が主張している一方で市民たちには「十分な配慮をしても、移動すると感染が広がる」と告げるのはどう考えても論理的に破綻しているからだ。今の官邸に「論理的であること」を求めるのは木に縁り(よ)て魚(うお)を求むふるまいだとわかってはいるが、それにしても。

日本のコロナ対策は、政府が五輪の成功による政権の延命を国民の生命と健康に優先させた

ことで「ことの筋目」を通すことができなくなってしまった。

そもそも政府はこれまでの対策の成否について検証をしていない。初動の遅れも「アベノマスク」もワクチン接種の遅れも、「失敗」と総括されたものは一つもない。おそらく、政府の政策はすべて適切だったのだが、一部国民がその「正しい指示」に従わなかったために感染が拡大した。すべてはその一部国民の責任であるというロジックに回収されて話を打ち切るつもりでいるのだろう。

ここまで支離滅裂になると、私ももうどうしたらいいのかわからなくなった。「家から出ない、誰にも会わない」ということを政府から「もういいよ」と言われるまでいつまでも続けるべきなのか。

凱風館の門人からも感染者が出た。発症してから2週間経つがついに入院できずに家で寝ていた。何の医療支援もない。買い物に出られないので、これから私が食料品の段ボールをドアの外に置きにゆく。こんなことがいつまで続くのか。

（2021年8月23日号）

官僚の無謬性神話

私の友人で医療経済学者の廾（ゆうへいきょう）先生が神奈川県でのコロナ対策のアドバイザーに起用され

た。県知事と並んでの記者会見やジャーナリストによるインタビュー映像がSNSで拡散されている。愈先生のような「歯に衣着せぬ」科学者がずばずばと政策提言を行い、メディアを通じて国民に感染症対策についての正確な情報を提供してくれることになったらとても心強い。

愈先生は（神戸大学の岩田健太郎先生とともに）私が「医療について知りたいことがあるとりあえず意見を伺う友人」である。

お二人とも知り合って10年以上になるが、まさかその二人が感染症対策のキーパーソンとして注目される日が来るとは思わなかった。

対策について二人の意見はすべてが一致するわけではないが、日本の医療行政の不全についてのきびしい評価には変わりがない。

日本の医学にはパンデミックに効果的に対処できるだけの資源はあるし、能力も高い。だが、それらを統括するシステムが適切に運用されていない。

私自身は同じことを学校教育についてもずっと感じてきた。

日本の教育資源は厚みがある。

教員たちの能力も意欲も高いし、子どもたちは豊かな可能性を蔵している。

でも、現場は疲弊し果て、国際競争力は低下の一途をたどり、子どもたちの表情も暗い。

豊かな資源がありながら、それが生かされていない。

医療も教育も、この不具合の最大の原因は官僚の無謬(むびゅう)性神話である。

政府は一度も間違ったことがないのだが、それにもかかわらず政策がうまくゆかないのは(感染が終息しないのも、学力が低下するのも)すべては「現場のサボタージュ」のせいである。だから、さらにシステムを上意下達的に編成して、現場の自由裁量権を奪い、黙って働かせればいいという話を30年ほど繰り返してきた結果こんな事態になった。

政府が時々政策を間違えるくらいのことを私は責めない。間違えたら、すぐにそれを認めて正せばいいだけのことだ。無謬性神話にしがみついて、誤った指示をそのままにして、さらに「新しいタスク」を上乗せするから現場は疲弊し切るのである。

もう勘弁して欲しい。

(2021年9月6日号)

第4章

「負のスパイラル」に入った政治と日本社会

日本政府が保ち続けるべき恥の感覚

昨日まで辺野古、嘉手納、普天間の３カ所をめぐって沖縄の基地問題の生々しい現実に触れてきた。

今回の旅で教えられたことの一つは、米軍が戦後「銃剣とブルドーザー」で暴力的に占領し基地とした土地を、その後、住民たちの粘り強い交渉によって奪還した事例がかつては読谷村を始めいくつか存在したということである。

いずれも「私たちの生活の場を返せ」という住民の切実な声を日本政府がくみ上げ、官民一丸となって米軍に要求し続けたことで実現した。

今も「住民の切実な声」は沖縄各地で叫ばれ続けているが、「日本政府がそれをくみ上げて、官民一体となって米軍と交渉する」というプロセスはもう存在しない。

ある時期から日本政府は「住民を代表して米軍を説得する」という作業をほぼ完全に放棄してしまったからである。

辺野古や高江では、逆に、日本政府が米軍の意をくんで、住民弾圧の前面に立つという倒錯した構図が出来上がっている。

日本のメディアはその画像をあたかも「当たり前のこと」のように報道しているが、これは少しも「当たり前」のことではない。

自国の国土を割き、住民の反対を押し切って、そこに外国軍を常駐させるということはどんな国の政府にとっても「不本意」な事態のはずである。

もちろん、強国とはそういう「不本意なこと」を弱国に強要できるから「強国」と呼ばれるのである。

強国の横暴にいちいち驚いたり、傷ついたりするほど私はナイーブではない。

日本は敗戦国であり、その結果、アメリカの軍事的属国となり、沖縄を米軍に差し出して、その世界戦略に奉仕することで生き延びて来た。

敗戦国日本がそれ以外の選択肢を思いつかなかったことを責める権利が自分にあると私は思わない。戦争に負けるとはそういうことだからである。

だが、非力ゆえに沖縄を犠牲にしたことについて日本政府はつねに恥の感覚を保ち続けるべきであったとは思う。

政府が沖縄住民を守り切れなかったおのれの非力を恥じ、米軍を説得するための忍耐づよい努力を今も続けていたなら、この「弱者たちの官民一体」はそれでも今よりは多くの果実を沖縄にもたらしたと信じるからである。

（2018年9月17日号）

敗北を受け止められるか

沖縄県知事選挙で玉城デニー候補が自公の推す佐喜真淳候補を大差で下した。

選挙結果についてはいろいろな解釈があり得ると思う。

「想定内だった」という人もいるだろうし、「潮目が変わった」という印象を持った人もいるだろう。

私はこういう時は「何も変わらない」という予測よりも、「大きな地殻変動の予兆かもしれない」という解釈を採用することにしている。

私が乱を好む気質だからではない（私の「判で捺したようなルーティン」への愛を知っている方にはご案内の通りである）。

大きな変化があるかもしれないと心の準備をしていた方がもしもの時に慌てずに済むからである。つねに変に備えるのは心の平静を求めているからである。

その点から、今回の県知事選はいくつか興味深い変化の兆しが見えた。

一つは、出口調査では公明党支持層の4分の1が玉城候補に流れたことである。

内心では玉城候補の政策に共感しながら、立場上、党の推す候補に投票した人たちも勘定に

入れると、沖縄の現場と公明党国会議員団の安倍政権への評価の間には想像以上に深い亀裂が生じている。

党が改憲問題の取り扱いを誤ると、この亀裂はさらに拡がるだろう。

公明党執行部は学会内世論の分裂を収拾するためには、どこかで政権への距離感を表明せざるを得ない。その時に安倍政権の土台が揺らぐことになる。

もう一つは、自民党が安倍総裁の3選後最初の重要な地方選挙に総力戦で臨んで負けたことである。

辺野古移転に一切言及せず争点隠しに徹し、党幹部を総動員し、組織的な締め付けを行い、無党派層に向けては経済的な利益誘導の手形を乱発するという「常勝」戦術が今回は奏功しなかった。

安倍政権6年の「成功体験」として血肉化していた選挙戦術が破綻したのである。

だが、自民党執行部はこの敗北を謙虚に受け止め、これを教訓として、目先の利益誘導をやめて、重大な長期的論点について野党との真剣な政策論議に向かうという方針転換をすることができるだろうか。

「潮目が変わった」ことを認めれば生き延びられるだろう。「想定内だった」と笑って過ごせば政権もそれまでである。

（2018年10月15日号）

日本の移民問題

出入国管理法改正の審議が始まった。

これまで政府は「いわゆる移民政策をとることは考えていない」と述べてきた。

自民党が「移民」を「入国時点で永住権を有するもの」と定義したせいである。

そう定義すれば、今いる外国人もこれから来る外国人もほとんどは「移民」に該当しない。

だから、移民問題は起きず、移民政策も不要であるという不思議な論法である。

首相の支持基盤である極右層が移民の受け入れにアレルギーを示すので、彼らに配慮して定義変更をしたのである。

言葉の定義を変えればEUやアメリカで起きているような移民問題は日本では起こらないと信じられる人たちの思考回路がどうなっているのか、私には想像もつかない。

今日本では128万人の外国人が働いている。

この10年で約3倍に増加した。

コンビニやファストフード店で外国人が接客することはもう当たり前となったし、始発の電車では早朝出勤するアジア系の若者たちを多く見かける。

それでも人手が足りないというので、２０１９年度からの5年間で最大35万人程度を受け入れることにした。

だが、それが日本人の雇用条件にどんな影響を与えるのか、社会保障の適用はどうするのか、劣悪な労働環境のせいで失踪者が続出している外国人技能実習制度はどうするのかといった喫緊の問題については何の具体案も示されていない。

それを議するのは「移民」政策であり、「外国人労働者」については議論不要だと言い抜けるつもりなのだろう。

国連では移住理由や永住権の有無や移住期間にかかわりなく、定住国を変更した人々を「国際移民」と呼ぶ。

政府が移民について国際通用性のない定義に固執するのは、必要な時には労働力として受け入れるが、雇用環境が変わって（例えば自動化が進んで）必要がなくなったら、その時は「出て行け」と言う権利を留保したいからである。

雇用の調整弁は欲しいが、社会的に包摂（ほうせつ）する気はないという態度をこのまま続けるなら、いずれ日本各地に大小の「ゲットー」が生まれ、排外主義イデオロギーが猖獗をきわめることは火を見るより明らかであるのに。

（２０１８年11月26日号）

なぜ大阪万博を開くのか

大阪万博開催が決まってから取材が続いている。

「万博開催ばんざい」一色にメディアが埋め尽くされる中で、「万博に異議あり」を公言する人がなかなかみつけにくいのだろう。

確かに新聞もテレビも、広告出稿者のほとんどは万博のオフィシャルサポーターである。

そのような「国民的行事」を批判するのは、メディアで飯を食っている方々にとっては職業的自殺に等しいのかもしれない。

仕方なく私のようにできるだけ仕事を減らしたいと思っている捨て鉢な人間のところに、コメント発注が集まることになるのであろう。

東京五輪招致の時もそうだった。

「僕の他に『五輪反対』とコメントする人はいないの?」と訊いたら、「あとは平川克美さんと小田嶋隆さんと想田和弘さんくらいです」というお答えを頂いた。

それでも大阪万博にはいくつか異議があるので箇条書きにしておく。

(1) 発信するメッセージがないこと。国力が急上昇している国が「うちの国の勢いを見てく

れ」と国際社会にアピールするというのがこれまでの万博の趣向である。

上海もアスタナ（カザフスタン）もそうだったし、70年の大阪もそうだった。再来年開催のドバイ万博もそういうものになるだろう（注・コロナ禍の影響により2021年10月開催に延期された）。

だが、今度の大阪はそうではない。

「このところぱっとしないので、金が要るんです」というのがほぼ唯一のメッセージである。そんな貧相なメッセージしか発信しない万博に誰が惹きつけられるだろう。

（2）万博誘致を言い出したのは堺屋太一氏である。

維新の首長たちがこれに乗った。しかし、氏がその2年前に提案した「道頓堀プール」の顛末を忘れられては困る。「東京五輪より大きな経済効果が出る」と断言していたこの事業の失敗について、私は当事者の誰一人から真摯な反省の弁を聞いた覚えがない。

（3）万博開催に歓喜しているのはアメリカのカジノ会社である。

カジノ開設予定地の夢洲（ゆめしま）のインフラ整備にたっぷり税金を投じてくれるというありがたい話である。「コストの外部化」のお手本のような事例である。

その他、地震や津波災害への脆弱性など問題点は無数にあるが、紙数が尽きた。

（2018年12月10日号）

忍び込ませた政治的判断

沖縄で辺野古新基地建設の可否を問う県民投票が行われた。

投票総数60万余のうち反対票が43万（72・15％）で、賛成票（19・10％）を圧倒した。

安倍首相は「投票の結果を真摯に受け止め、これからも基地負担軽減に向けて全力で取り組んで参ります」と語ったが、辺野古への土砂投入は投票翌日も続いた。

「基地負担軽減のために新基地を建設する」というのは没論理的な発言だが、首相の脳内では整合している。

それは辺野古は「新基地」ではなくて、普天間の「代替基地」だとされているからである。

移設によって、「新基地」周辺住民の負担は増大するが、「旧基地」周辺住民の負担は軽減される。

差し引きで基地負担に苦しむ県民の絶対数は多少減るという理屈である。

だから、「全力をあげて基地負担軽減に取り組む」は「全力をあげて辺野古に土砂を投入する」に帰結するのである。

こんな詭弁が成立するのは、今回の県民投票が「普天間飛行場の代替施設として国が名護市

辺野古に計画している米軍基地建設のための埋立てに対する賛否についての県民による投票」だったからである。

文言が単に「国が計画している」であれば、首相のような詭弁は存立する余地がなかった。投票の正式名称のうちには「普天間飛行場の代替施設が建設されねばならない」という政治的判断が迂回的に忍び込ませてある。

だから、「投票者たちはこの判断に同意した上で投票を行った」と強弁する余地が残されたのである。首相はそれを利用したのだ。

「代替施設」とか「移設」とかいう言葉は価値中立的なもののように見えるが、実際には政治的予断を含んだ危険な言葉である。

この言葉を使う人たちは「現在普天間基地が担っている役割は地政学的に必須である」という判断に暗黙のうちに同意したとみなされる。

だとすれば、仮に辺野古の新基地が「代替」の条件を満たさないと判断された場合（滑走路が短いとか地盤が脆弱だとか）、米軍は普天間を返還する義務を免ぜられ、日本政府には返還を要求する権利がなくなる。

県民の反対で辺野古の基地建設が頓挫すれば、いずれ日本政府はそう言い出すだろうと私は思っている。

（2019年3月11日号）

「2度目の敗戦」

東日本大震災から8年が経った。

被災地の復興は進まず、5万人を超える被災者たちがまだ故郷への帰還を果たせずにいる。

自然災害からなら人間は立ち直ることができる。

東北がこれほど深く傷ついているのは福島の原発事故の処理が進まないせいである。

廃炉までどれほどの期間、どれほどの予算がかかるのか、まだわからない。

総費用は2016年に経済産業省が試算したときは22兆円とされたが、81兆円という数字が最近示された。

いったいどこまで増え続けるのか誰も確実なことを知らない。

廃炉の終了は一応40年後とされているけれど、その時に廃炉作業が完了していなかったとしても、その責任を問う相手はその時にはどこにもいない。

どうしてこんなことになったのか。

それは「こんなこと」が起きた場合について想像することに、政府も電力会社も知的リソースを投じなかったからである。

彼らは「最悪の場合」を想定して、それに備えるという想像力の使い方を知らない。これは「知らない」と断言してよい。

「最悪の事態」を想定することを忌避するのはわが国の風土病のようなものだからである。本邦には「最悪の事態を想定すると、最悪の事態が到来する（だから最悪の事態についてはできるだけ考えない方がいい）」という独特な信憑が存在する。

これはどのようなものであれ日本の組織に属したことのある人なら身に覚えがあると思う。旧日本軍ではそれは「敗北主義」と呼ばれた。

「作戦が失敗した場合に被害を最小化するための手立て」を講じようとすると「お前のようなやつがいるから、作戦が失敗するのだ。敗北主義者が敗北を呼び込むのだ」と一喝される。逆に、すべての作戦がことごとく成功すると「皇軍大勝利」という「最良の事態」のシナリオを起案する参謀が重用された。

その結果、日本は前代未聞の敗北を喫したのである。

福島の原発事故は「2度目の敗戦」だと私は思っている。災厄を防げなかった人々の心理と論理が同一だからである。

これを改めない限り、日本人は遠からず「3度目の敗戦」を迎えることになるだろう。そこから回復することが21世紀の日本人にできるだろうか。

（2019年3月25日号）

分断される日本社会

移民政策について時々意見を訊かれる。

短期間に大量の移民を受け入れることには反対であるとお答えしている。

勘違いしてほしくないのだが、私が反対しているのは「短期間に大量」の受け入れであって、ゆっくり時間をかけて、少しずつ受け入れることは不可避だし、自然過程だと思う。ことは程度の問題であって、原理の問題ではない。

欧州では、大量の低賃金労働力が必要になった時に、先のことを考えずに大量の移民を入れた。状況が変わり、それほど人手が要らなくなった。けれども、移民たちはすでに深く根を下ろして、もはや「帰るべき祖国」を持たなかった。

移民労働者を雇用の調整弁として活用し、要る時だけ使って、要らなくなったら帰国させるという虫のいいことを考えての移民政策なら、それに成功した先例は一つもない。

彼らの多くがそのまま日本に定着して、「同胞」になるということを勘定に入れて制度設計はなされるべきだろう。

それは、彼らを包摂するための教育や医療や福祉にかかわるコストはわれわれが引き受ける

ということである。宗教を異にし、母語を異にし、食文化や生活習慣を異にする「よくわからない人」を隣人として受け入れるということである。日本が多民族・多文化共生社会になるということである。長期的にはそうなるし、そうなる他ないだろう。

けれども、そのような社会的変動をすぐに受け入れられるほど日本人は市民的に成熟していない。だから、短期間に大量の移民受け入れを実施すれば、欧州諸国のように、「民族浄化・移民排撃」を掲げるレイシストが登場してくる。

そして、「多文化共生」をめざす人々と「民族浄化」を呼号する人々の間の烈しい対立によって日本社会は深く分断されることになるだろう。

それを回避するためには、出自を異にするさまざまなタイプの外国からの到来者を、固有名と「顔」を持った現実的な隣人として歓待し、できるだけ多くの人が彼らとの交友を通じて「他者と共に暮らす技術と知恵」を身に着けるしかない。

時間はかかるけれど、それしか手立てはない。

（2019年5月13日号）

公人に適用される推定有罪

北方四島交流事業における「戦争」発言で丸山穂高衆院議員が日本維新の会を除名になった。

この人の言動は議員辞職に値するものだと私は思う。

最終的には謝罪に追い込まれたが、当初は批判に際して「真意を切り取られて心外」「言葉尻だけとらえられても困る」と定型的な言い訳をしていた。

政治家が失言すると「そんな意味で言ったのではない」「文脈から切り離された引用だ」という言い訳から始まり、いよいよ騒ぎが収まらなくなると「誤解を招いたとすればお詫びする」と、メッセージを曲解して、騒ぎを大きくした相手にまるごと責任を押し付けて、ふくれっ面で退場する……という場面をこの数年間、飽きるほど見てきた。

改めて言うまでもないことだが、公人において問題になるのは外に現れた言葉と行為だけである。

極端な話、心の中にどれほど邪悪な妄念が渦巻いていようと、可視化された言動が遵法的で適切であれば、公人としてはまったく問題がない。

逆に、心のうちがどれほど純良で廉潔であろうとも、外に出た言動が欠格条件に該当するものはただちに公務を辞さなければならない。

この理屈がわからない公人があまりに多い。

「瓜田に履を納れず、李下に冠を正さず」という古諺が教えるのは、「瓜畑に踏み込むと瓜泥棒だと思われる。すももの木の下で冠をいじるとすもも泥棒だと思われる」という公人におけ

る推定有罪のことである。

私人には推定無罪が適用されるが、公人には推定有罪が適用される。

ダブルスタンダードなのである。

「瓜田」は斉の威王の後宮にいた虞姫が冤罪で刑される時に言った言葉である。「人の疑念を拭い得なかったこと、わが身の潔白のために弁じてくれる人を持ち得なかったこと」を自らの不徳として刑を受け入れた後にこう言ったのである。

公人には「外からは不適切と解されかねない言動をなしたが、真意は違う」という言い訳が許されない。

言い訳したければ公務を引いた後にする他ない。これを忘れて、私人のつもりで公務に就く政治家があまりに多いので、あえて贅言を弄するのである。

（2019年5月27日号）

日本林業史上の大事件を知っていたのか

国有林を伐採・販売する権利を民間業者に与える法律が成立した。権利を得た業者は最長50年間独占的な樹木採取権を手に入れる。

林業の「成長産業化」をめざすという触れ込みだが、林業者の90％が小規模・零細で、大規

模な伐採を行う資力を持たない日本では、国有林の材木が外資を含む大企業の専有物になることは確実である。

さらに問題なのは、法律が伐採後の植林を義務づけていないことである。

金儲けのために林業に参入してくる人たちが、伐採後に日本の森を守るために再造林のコストを善意で負担してくれるだろうという予測に私は与しない。日本の国有林の相当部分は遠からず禿山になるだろう。

記事を読んでいるうちに似た話が昔あったことを思い出した。

明治末年の神社合祀の時、多くの神社が取り壊されたことがあった。

全国の神社20万社の3分の1が廃社となり、所有する山林が民間業者に二束三文で払い下げられた。その実情について、当時神社合祀に孤軍奮闘して反対した南方熊楠が怒りを込めてこう記述している。

「他処の人々が濡れ手で粟を攫み、村民はほんの器械につかわれ、（中略）霊山の滝水を蓄うるための山林は、永く伐り尽され、滝は涸れ、山は崩れ、ついに禿山となり、地のものが地に住めぬこととなるに候」「官公吏たりし人、他県より大商巨富を誘い来たり、訴訟して打ち勝ち、到るところ山林を濫伐し、規則を顧みず、径三、四寸の木をすら伐り残さず。（中略）木乱伐しおわり、その人々去るあとは戦争後のごとく、村に木もなく、神森もなく、何にもなく、

ただただ荒れ果つるのみにこれあり。（中略）もとより跡へ木を植えつくる備えもなければ、跡地にススキ、チガヤ等を生ずるのみ。牛羊を牧することすら成らず。土石崩壊、年々風災洪水の害聞到らざるなく、実に多事多患の地と相成りおり申し候」

「他処」より来たった「大商巨富」によって豊かな森林が荒廃した日本林業史上のこの大事件を法律に賛成した議員たちは知っていたのだろうか。

知らずに賛成したのならその無知に、知って賛成したならその強欲に唖然とする他ない。

（2019年6月24日号）

葛藤なき政治家の実態

あいちトリエンナーレでの「表現の不自由展・その後」の開催中止を巡って、何人かの公人が発言している。

松井一郎大阪市長は「民間であれば展示は自由だが、税金を投入してやるべきではなかった」と、中止は当然との認識を示した。河村たかし名古屋市長は展示を「日本人の心を踏みにじるようなものだ」として「市民の血税でこれをやるのはいかん」と述べた。

これに対して大村秀章愛知県知事は憲法21条の「集会、結社及び言論、出版その他一切の表

現の自由は、これを保障する。検閲は、これをしてはならない」を引いて、「税金でやるならやって良いことには自ずと範囲が限られる」という「最近の論調」に対する「違和感」を表明した上で、公的な行事だからこそ憲法に則り「表現の自由を守らなければいけないのではないか」と語った。

さらに、名古屋市長が記者会見で公的立場にありながら個別的な表現についてその適否を語ったのは「検閲」に相当し、「憲法違反」の疑義があると踏み込んだ。

これを受けて河村市長はそれなら「ああいう展示は良い」と県が公的に認知すべきだと異議を申し立てた。

残念ながら、この異議は筋違いである。知事は展示物の良否について個人的な判断を述べたわけではなく、「表現の自由」を定めた憲法の遵守はそこで表現された作品のコンテンツの良否とは別のレベルに属するという法理を語ったに過ぎないからである。

行政機関には表現物の良否について判断する権利があり、否とされたものについては検閲を行うことが許されるというのはたしかに「最近の論調」ではあるが、憲法21条の解釈としては成り立たない。

憲法99条は天皇以下すべての公務員に「この憲法を尊重し擁護する義務」を課している。むろん、現行憲法には瑕疵（かし）があるので改正が必要だと考える公人がいることに不思議はない。

だが、その場合、彼らは公人としての「憲法尊重擁護義務」と私念としての「憲法改正の必要」の間で身を引き裂かれるような葛藤を経験しているはずである。

今回はそのような深みのある葛藤が日本の政治家たちのうちにいかに見いだし難いものであるかを改めて可視化してくれた。

（2019年8月26日号）

気前のよい人、鈍感な人

関西電力の経営者たちが原発の地元福井県高浜町の元助役から3億円を超える金品を収受していた事件が連日報じられている。

受け取ったのは現金・商品券・金貨・小判・金杯・スーツ券など。一人で1億円を超える金品を受け取っていた者もいた。記者会見で釈明した会長・社長自身が金品の受領者なのであるから、彼らが「一時的に預かっただけ」とか「申告したから違法性はない」とか「儀礼の範囲」だと言い張っても説得力はない。盗んだものを捕まった後に「返すから無罪にしてくれ」と言い張っても通らないのと同断である。

けれども、この幹部たちが刑事訴追されるかどうかは微妙である。民間企業の場合には賄賂の受け取りについて、立件のハードルが高いからだ。特別背任罪に問うためには、幹部たちが

自己や第三者の利益を図る目的で会社に具体的な損害を与えたことが要件となるが、幹部らはただ一方的に金品を押し付けられただけで、いかなる便宜も図っていないし、いかなる損害も会社に与えていないと主張しているからである。

原発関係者への金品贈与がいつから始まったのか、総額どれくらいなのかは死んでしまった元助役以外は誰も知らない。彼は何の見返りも求めずただひたすら関電幹部たちに金品を贈与し続け、原資を供出した地元企業もまた、何の見返りも求めずにひたすら金を渡し続け、収受した側も何の見返りも与えずにひたすらもらい続けたという「嘘のような話」で一件落着させることを関係者たちはめざしているようである。

非常識なまでに気前のよい人と非常識なまでに金銭感覚の鈍感な人がたまたま遭遇しただけのことで、そこには何の違法行為も何の隠しごともありませんと言っている割には、関電幹部は情報開示にはずいぶん不熱心であった。

それは刑事訴追は免れるにしても、自分たちが桁外れに非常識な人間であると満天下に明かされることのリスクについては彼らも多少は理解していたからであろう。

非常識は処罰の対象ではなく、教化訓育の対象であるという常識に私は与する。だが、この熟年財界人たちにこのあと市民的成熟の機会は訪れるのであろうか。

（2019年10月21日号）

現代日本の新たな「道徳」

「桜を見る会」の話を書く。私自身いい加減この話題にも飽きているのだが、まさに「国民がこの話題に飽きて、忘れること」を官邸が専一的にめざしている以上、その手に乗るわけにゆかない。

この事件には現代日本社会の致命的欠陥がいくつも露出している。もちろん、どんな社会にも欠点はある。完全な社会など存在しない。けれども、その疾病を観察し、診断を下して、適切な治療を始めないと、生物の場合は、病が亢進(こうしん)して、やがて壊死(えし)が全身に及ぶ。

社会も同じである。どこかに欠陥があるのは当たり前のことだが、それを放置し、致命的な疾患が全身に及ぶのを手をつかねてぼんやり眺めているのは異常である。そして、今の日本は異常である。

メディアは相変わらず「野党が反発」とか「官邸、逃げ切りをはかる」とかまるで自然現象でも記述しているような他人行儀な筆法を採用しているが、中立性を偽装するのはもうやめて欲しい。ことは総理大臣が公選法違反、政治資金規正法違反の疑いをもたれているというレベルの話ではない。問題の真相を示すはずの公文書がことごとく廃棄され、疑惑の出来事につい

て「ほんとうはそこで何があったのか」を誰も言うことができないという状況が官邸主導で創り出されたのである。

メディアの「やる気のなさ」と、その「成果」としての内閣支持率の堅調ぶりに私は驚嘆する。ネットでは、富裕者を批判すると「そういうことは年収がそのレベルになってから言え」、有名ユーチューバーを批判すると「そういうことは再生数がそのレベルになってから言え」というタイプの冷笑が定型化している。どうやら「力のない人間は力のある人間を批判する権利がない」ということが現代日本の新たな「道徳」になったらしい。

今日本では、「権力者はどんな不正を働いても、決して処罰されることがない」という「新しいルール」を多くの日本国民が黙って受け入れ始めている。

私はこれを国家的危機だと思う。厳密に言えば、「国家の存亡にかかわる危機」として感じられない病的な鈍感さを国家的危機だと思う。このままでは日本社会はどこまで腐るかわからない。

（2019年12月16日号）

学者を支配しそこねた官邸

日本学術会議の会員任命拒否に対して多くの学会が一斉に抗議の声を上げた。

この事案は、そもそも日本学術会議法違反であること、従来の政府の法解釈と齟齬（そご）していること、任命拒否の理由を開示しないこと、誰が任命拒否の責任者であるかを明らかにしないこと、ネットを使って論点ずらしと学術会議への攻撃を始めたことなど、政府対応の知的・倫理的な低劣さは眼を覆わんばかりである。

たしかに安倍政権は久しく政権との親疎（というより忠誠度）に基づいて政治家、官僚、ジャーナリストを格付けしてきた。権力者におもねる者は累進を遂げ、苦言諫言をなす者は左遷された。国民はもうそれに慣れ切ってしまった。

「能力ではなく忠誠度で人を格付けすることができるほどの権力者には服従する他ない」という無力感と諦念のうちに日本国民は浸っていた。だから、官邸は今度は学者を相手に同じことをしようとした。日本学術会議は若干の抵抗はするだろうが、最終的には任命拒否を受け入れる。官邸はそう予測していた。過去に成功体験があったからである。

2014年の学校教育法の改正で大学教授会はその権限のほとんどを奪われた。「教授会自治」というものはもう日本には存在しない。いま大学は限りなく株式会社に近い組織に改変された。でも、その事実を多くの国民は知らない。大学人たちが組織的に抵抗しなかったからである。法改正に反対して職を賭して戦った大学人のあることを私は知らない。みな黙って権利剝奪を受け入れた。そのとき、官邸は「学者というのは存外腰の弱いものだ」と知

った。

だが、彼らは「大学人」と「学者」は別ものだということを知らなかった。大学人は大過なく定年まで勤めることを切望している「サラリーマン」である。

学者は違う。学術共同体という「ギルド」で修業を積んできた「職人」である。どれほどの「腕前」であるかがギルド内の唯一の査定基準である。そのものさしを棄てたらギルドは存在理由を失う。政府は「サラリーマン」を支配したのと同じ手で「職人」を支配しようとした。そして思わぬ抵抗に遭遇した。私はそう見立てる。

（2020年10月26日号）

「それを言ったらおしまい」

日本学術会議の新会員任命拒否をめぐって首相の発言が迷走している。

任命拒否という違法行為を正当化するために、法解釈が変わったと言ってみたり、リストを見ていないと言ってみたり、会員の多様性に配慮したと言ってみたり、言えば言うほど政権に批判的な学者を排除したという「それを言ったらおしまい」の真相が際立ってくる。任命拒否された6人は全員が何らかの形で安倍政権時代に政府批判を行っていた。

政府に批判的な態度をとった者は、どれほどその専門分野で卓越していても、公的支援を期

待できないという強面（こわもて）のメッセージを新政権の発足にあたってまず発信して、文化人、知識人を震え上がらせてやりましょうと首相の耳元にささやいた「忠臣」の計画は主観的には合理的なものだったと思う。

「安全保障関連法に反対する学者の会」のメンバーでありながら任命された学者もいたというあたりの芸が細かい。

一罰百戒の要諦は同じことをしても、ある者は罰され、ある者は罰されないという一貫性のなさにある。処罰の基準が一貫していると、権力者もまた自分が論理的な人間であると思われたがっているということを暴露してしまう。

そうであれば論理的に権力者を説得したり、屈服させたりすることが可能になる。それは権力者を制御する手立てを（原理的には）国民全員が持っているということである。

国民全員にいつでも為政者の権力の恣意（しい）的行使を制御できる権利が保障されている場合、その為政者はあまり「権力的」とは見なされない。それゆえ、為政者が畏怖され、その内心を忖度することが「臣民たち」にとって優先的な責務になる支配者でありたいと願うなら、論理的であることにこだわらないというのは必須の条件なのである。

だから、これからも首相はこの論件について支離滅裂なことを言い続けると思う。

権力は論理に勝るという官邸からのメッセージがじわじわと国民に浸透するか、それとも

「国民に論理的な人だと思われる気がない為政者が政策の選択に際してだけは例外的に論理的に思量する」ということはあり得ないということに国民が気づくのと、どちらが先だろう。

（２０２０年11月９日号）

国内世論の操作

パンデミックの渦中で国民の国内移動を奨励するというあり得ない政策が行われている。それが「あり得ない」ものだということは素人でもわかる。感染症対策の基本は「感染経路の遮断」である。マスクをする、手指消毒をする、人と距離をとる、みなそうだ。都市封鎖もスケールは違うが原理は同じである。

不要不急の外出を抑制すべきときに政府は全国規模の外出奨励策を採った。そして専門家が警告した通り、各地で医療崩壊が始まった。

だが、政府は「ＧｏＴｏ」と感染拡大の因果関係が証明されていないと言い張って、政策の誤りを認めていない。

感染がいつ収まるか見通せないが、日本政府は最後まで感染症対策の失敗を認めないだろう。個々の政策の適否の事後検証もしないだろう。都合の悪いことはすべてうやむやにして「幕引

き」を図るという前政権以来の成功体験の蓄積があるからだ。ＧｏＴｏについても誰も責任を取らずに終わるだろうし、国民もすぐに忘れるだろう。

だが、ただでさえ低い日本政府の感染症対策への国際社会の評価はさらに低くなることは避けられない。それでも、国内のメディアがそれを報じなければ、海外の報道を日常的にチェックしている人以外はその事実を知らずに終わる。

今の日本は「市場を持たない株式会社」のようなものに見える。

ふつう経営判断の適否は市場が判断する。判断を誤れば売り上げが落ち、収益が減り、株価が下がり、経営者は交代させられる。

国家の場合、本来の意味で「市場」に当たるのは国際社会である。そこにおけるプレゼンス、信頼、発言力の多寡がいわば「株価」に相当する。

でも、今の政権はそれを見る気がない。彼らが見ているのは「次の選挙」の得票だけである。選挙で多数を制すれば「市場は政策を正しいと認めた」ということになる。だから、国内世論の操作だけに専念していれば、政権は揺るがない。

日本政府は国際社会の評価については「もう気にしない」ということに肚(はら)を括(くく)ったようである。政治的延命のためには合理的な選択だ。けれども、国民全員がこの政府についてゆけば先に待っているのは奈落である。

（２０２０年12月21日号）

また日本が貧乏になった

新聞からの電話取材で森喜朗前五輪・パラ組織委員会会長の発言についてのコメントを求められた。彼の女性蔑視発言には二つの層があるような気がしたので、その話をした。

一つは伝統的な男尊女卑の性差別意識である。

彼くらいの年齢では、幼児期から刷り込まれた性差別意識はよほどの自己努力なしには自覚することさえできないだろう。でも、このタイプのセクシズムはしだいに弱まってゆくと思う。

「わきまえておられる」発言にはもう一つの層がある。それは「分際をわきまえろ」「身の程を知れ」という、社会的役割からの逸脱を禁じる思想である。これは比較的新しい。

もちろん封建時代から「身の程を知れ」ということは体制維持に必須の教えだった。現に私が子どもの頃もよくそう言って叱られた。分かち合う資源が希少なときには分配比率が優先的に配慮される。当然である。しかし、1960年代の中頃からぱたりとその言葉を耳にしなくなった。

高度成長期の日本というのは、国民全員が「分際を踏み越えて」「身の程をわきまえず」に、法外な野心と欲望に衝き動かされた時期だったからだ。焦土に立ち尽くしていた敗戦国民があ

のまま「身の程をわきまえて」いたら、世界第2位の経済大国になんかなれるはずがない。おかげで「身の程」のことをすっかり忘れていたら21世紀に入ってまた耳にするようになった。若い知識人たちからそう言って叱られたのが最初である。どうしてお前は自分の専門以外の領域に首を突っ込んで、一知半解の言を弄するのだ、と。

半世紀ぶりに「身の程をわきまえろ」と言われて驚いた。なるほど、「自分に割り当てられた場所から出るな」という風儀が復活したというのは、また日本が貧乏になったということだなとすぐに得心した。

分かち合う資源が目減りすると、金棒曳(ひ)きがやってきて、分配比率に目を血走らせるようになる。このところ性差や出自や社会的有用性に基づいて公共財の分配比率は決定されるべきだとうるさく語る人が目立つけれど、何のことはない、彼らは「私たちは貧乏人だ」と言い触らしているだけなのである。

（2021年3月8日号）

決定的な「どぶ板」活動

選挙前にいくつかのメディアから「総選挙の争点は何でしょう？」と訊かれた。コロナ対策が喫緊の争点になるはずだったが、8月中旬をピークに感染者は急減した。どうしてこんなに

減ったのか、医者の友人たちに会うたびに訊くのだが、皆「分からない」と首を振るばかりである。感染が収束した理由がわからないのだから、政府のコロナ対策の適否について科学的な判断を下すことはまだできない。だから、コロナ対策は争点にならない。

野党は経済的な指標を取り上げて、日本の国力が急激に低下しているのは過去9年の安倍・菅政権の政策の失敗が理由だと論じたが、与党はこれに取り合わなかった。

与党が「経済政策は成功だった」と言い張って初めて論争になるのだが、与党が口をつぐんで、そんな話には興味がないという顔をしていれば争点にはならない。

財政も外交も国防も、与野党ともに言いたいことを言うだけで、素人にはどちらに理があるのか分からない。専門的知識があると称する人たちがまるで違うことを言っているのである。素人に判断できるはずがない。これも争点にはならない。

選択的夫婦別姓が争点化しそうに見えたが、自民党がこれに否定的だったのは支持者を喜ばせるためのマヌーバー（策略）であり、内心では「どうでもいい」と思っていたはずである。だから、本格的な争点になるはずもなかった。

開票速報の時に、「争点は何か」訊かれた自民党の高市早苗政調会長が、勝敗を決したのは公約の違いではなく「個々の選挙区の事情の違いだ」と答えていた。

そうなのだろうと思う。どれくらい駅頭に立ったか、地域の集まりに顔を出したか、陳情を

受け付けたか、そういう「どぶ板」の活動が決定的だったということだ。

そう考えると、地域の手当てを疎か(おろそ)にしてきた大物政治家たちが苦杯を喫したことの理由も、大阪での維新の全勝の理由も分かる気がする。

素人には政策の良否が判定し難くなった時代には候補者たちが踏んだ「どぶ板」の数が当落を決する。分かりやすいと言えば分かりやすい話だが、議員の適性をそれだけで考量してよいのだろうか。

（2021年11月15日号）

情報をめぐる速度と質の差

安倍元首相暗殺事件は、日々新しい情報が開示されているので、この原稿が誌面に載る時にはどういうストーリーが世論を支配しているのか予測がつかない。

今のところわかっているのは、容疑者の母が世界平和統一家庭連合（旧統一教会）の信者で、莫大な献金が原因で一家が離散したことについて彼が教会に深い恨みを抱いていたこと。安倍元首相と旧統一教会の関係を知って殺意を抱いたこと。そこまでである。

「霊感商法」や合同結婚式のニュースを記憶している世代の人間にとって、旧統一教会が「カルト」であることは常識だった。

だが、いつのまにか団体名も改称され、国会議員たちが続々と教会や関連団体のイベントに登壇し、広報誌に登場するという「汚名ロンダリング」が進んでいたようである。

自民党や一部野党の国会議員たちが教会の「身元保証」をする見返りに選挙協力を受けていたという実情も明らかになった。

しかし、大手メディアは議員たちと旧統一教会の癒着（ゆちゃく）についてかたくなに沈黙を守っている。ネットで流れてくる（虚実とりまぜての）「生の情報」と既成メディアの「横並び情報」の速度と質の差がここまで広がったことはかつてなかった。

「情報弱者」という言葉を私は好まないが、自分が日頃接し、そこでは事実が報道されていると信じているメディアとは違うところに（例えば、ネットや海外メディアに）「そこに報道されていない事実」や「それとは違う事実」が報道されていることを「知らない」人については、やはり「情報弱者」という形容がふさわしいだろう。

「メディア・リテラシー」とは「どの情報が正しくどれが虚偽であるかを判定できる能力」のことではない。すべての論件についてそのような能力を発揮できるような「超人」は私たちの中にはいない。

私たちにできるのは、とりあえずは自分が日常接しているメディアが伝えてくる情報とは「違う情報」が並列的に存在すると認めることである。それらの情報をテーブルの上に並べて

から、そのうちのどれが事実に基づき、適切な推論をしているかを一つ一つ吟味すること。そこからしか、次の議論は始まらない。

（2022年8月1日号）

旧統一教会と自民党

毎日新聞が8月20〜21日に行った世論調査では、岸田内閣の支持率は前回の52％から16ポイント下落して36％、内閣成立後最低を記録した。不支持率は54％で17ポイント増加。理由は明らかだろう。

旧統一教会（世界平和統一家庭連合）と自民党の癒着という「現代政治史の闇」を解明する気がないという腰の引けた姿勢に有権者たちがつよい不信の念を抱いたからである。

同じ世論調査で、政治家は旧統一教会との関係を断つべきかという問いに「関係を断つべき」が86％。自民党支持層でさえ77％に達した。

内閣改造後に支持率が急落するというのはふつう起きない。

ふつう起きないことが起きたのは、旧統一教会との癒着が疑われる議員たちを内閣に大量登用したこと、とりわけ旧統一教会との深い関係が暴露された萩生田光一氏を党政調会長という要職に起用したことが原因である。

その萩生田氏が参院選公示直前に選挙応援を依頼しに生稲晃子氏を旧統一教会の施設に引き連れていったことについて、2人ともに「どこに行ったのかよく知らない」という見苦しい言い訳をしたことが国民の「うんざり感」を亢進させた。

旧統一教会がどういう活動をしているか知らなかった。自分が関係した団体が旧統一教会の傘下にあるとは知らなかった。霊感商法の被害者弁護団から国会議員には繰り返し「関係を断つように」との懇請があったのだが、そのことも知らなかった。そうやって「無知を装う」ことで責任を逃れろと党執行部から議員たちに下知されたのであろうか。

たしかに「事実の無知は弁疏となる」とローマの法諺にはある。

だが、国会議員が「自分は世情に疎いもので」ということを弁疏に用いてよいものだろうか。それでは、「世情に疎い人間に国政を議す資格があるのか?」という疑問にどう答えるつもりなのか。

いや、答えられないことはない。

「私は世情に疎いが、それはあなたがた国民と同程度に疎いということであって、民意の代表者としてはむしろ適切ではないか」と言い抜けることはできる。

議員がその知性・特性において国民の平均を上回ることがない政体を「衆愚政治」と呼ぶ。日本は今そこに向かおうとしている。

（2022年9月5日号）

統一地方選をめぐる予測

旧統一教会と国葬と五輪汚職をめぐってインタビューを受けた。

毎日新しいニュースが飛び込んでくるので、原稿が掲載される頃には少し前にした話が「旧聞」になることが多い。それでは読者に申し訳が立たないので「これから起きそうなこと」を話すようになる。でも、先のことについての予測だと「旧聞化」リスクは回避できるが、外れるリスクも高い。

私は未来予測をするのが好きである。

第一に自分の情報収集や推論の精度を確認することができるからである。外れた場合にはどういう兆候を見落としたのか、何を過大評価したのかが自己点検できる。

何よりも私が「これからこういうことが起きる」と予測をしておくと、賛否にかかわらず読者たちは私の予測が当たるか外れるかいくぶんの興味を持ってニュースを読むようになる。仮説の当否を吟味しながら読むのと、ストレートニュースを読むのでは読者の側の集中力にずいぶん差が出る。つまり、未来予測はそれだけで人々のニュース感度を刺激するということである。これはメディア環境としては決して悪いことではない。

だが、ふつうの言論人はあまり未来予測をしない。外れると知的威信にかかわると思ってい

るのかもしれない。私はさいわい失って困るような威信を有していないので気にしない。先のインタビューでは「旧統一教会からは脱会者が続出し、組織的危機を迎える」「国葬は盛り上がらず、首相は『やらなければよかった』と後悔する」と予測した。それくらいなら誰でも思いつきそうなので、ちょっと無理をして「来春の統一地方選では旧統一教会と関係のあった地方議員たちが大量に落選する」「その結果、首相の進退問題になる」と予測してみた。

さらに「それと前後して旧統一教会と一蓮托生で政治生命を失うのはたまらないという自民党議員たちが『クリーンな保守新党』を立ち上げ、国民民主党と立憲民主党の一部と連合を巻き込んで新しい政治勢力ができる」というところまで先走ってみた。

言ってみてから案外ありそうな気がした。実際に観測気球を上げている人が永田町界隈にはもういるかもしれない。

（2022年9月19日号）

首相の不作為

9月19日毎日新聞発表の世論調査では内閣支持率は29％、不支持率は64％。もはや「政権末期」の数字である。なぜ岸田内閣は国民の信をこれほど急に失ったのか。

「してはいけないことをした」というよりは「すべきことをしなかった」せいだと私は思って

いる。

法的根拠のない安倍元首相の国葬開催を国会の審議を経ず決定したことで一気に支持率は下がった。でも、国民はこのルール違反を咎めたわけではないと思う。

政府の「ルール違反」はこの10年もう日常化していたし、それは安倍時代には内閣支持率に影響しなかったからである。

法的根拠のない「超法規的措置」を内閣が断行するということはある。かつて福田赳夫（たけお）首相はダッカ事件に際して、人質をとった日本赤軍の要求に応じて、獄中の赤軍メンバーを釈放するという超法規的措置を採った。首相はこの時「人命は地球より重い」という言葉でこの政治判断への理解を国民に求めた。私たちの世代の多くは半世紀近くを経た今でも「超法規的措置を正当化するためには、それなりの重さのある言葉が要る」という教訓と併せてこの言葉を記憶している。

しかし、今回の超法規的措置には特段の緊急性はなかった。

今すぐ国葬にしなければ誰かが取り返しのつかない損害を蒙（こうむ）るという話ではない。さらにこの措置を正当化する「重さのある言葉」を首相が語ることもなかった。ただ法治国家のルールを軽視しただけだった。

首相がもしこの措置について国民の同意を求める気があったら、国民に向けて情理を尽くし

て語りかけたはずである。亡き元首相がいかに歴史に卓越した政治家であり、その功績が比肩なきものであるかを言葉の限り説いたはずである。

国民の相当数は国葬の是非について態度を決めかねていた。だから、首相が故人への崇敬の思いを真率に語れば、国民の相当数は国葬を是としただろう。

でも、首相はそれを怠った。

在職期間が長かった。内政外交に功績があったというような気のない文章を棒読みしただけだった。国葬反対世論を創り上げたのは首相のこの不作為である。

（2022年10月3日号）

国旗・国歌をめぐる私の考え

国歌斉唱に唱和することを拒否する教師と、なんとか歌わせようとする校長たちの対立を描いた「歌わせたい男たち」という永井愛さんの戯曲がある。その再演のパンフレットに寄稿を依頼された。

国旗・国歌という国の象徴に対して、市民はどういう態度で接すべきか。デリケートな問題である。私は「当惑する」というのが日本国民としてのあるべき構えだと思う。当惑した後歌ってもいいし、黙っていてもいい。当惑することがたいせつなのだということを書いた。

合衆国最高裁は国旗損壊を処罰する州法を違憲としている。国旗損壊によって政府への批判の意思を表明することは表現の自由に含まれると考えるからである。

ある判事は補足意見として「痛恨の極みではあるが、基本的なこととして、国旗はそれを侮蔑する者をも保護するのである」と記した。私はこの判事の葛藤を健全なものだと思う。

国旗損壊をやめさせようともし本気で願うなら、行為を処罰することによってではなく、そのような行為を誰も望まなくなるような素晴らしい国を創り出すことが正しい行き方である。国民に豊かな表現の自由を許すことのできるほどにその判断力を信じられる国だけが国民からの真率な敬意の対象となることができる。

理屈としてはそうだ。

ただし、これはよほどの決意がないと口にはできない言葉である。だが、民主政の「公人」であるならこの「痩せ我慢」には耐えなければならない。

今の日本の政治家のうちに日の丸・君が代への敬意を醸成するために必要なのは「敬意に値するほどに市民的自由を尊重する国になることだ」と言い切る人がいるだろうか。

「いいから黙って敬意を示せ」と強制する人と、「それは内心の自由の侵害だ」と抵抗する人の2種類しかいないように私には見える。

対立はあるが葛藤はない。

「どうすれば人々は国旗・国歌に自然な敬意を示すようになるだろう」という根源的な問いは誰も口にしない。

だが、国民の信託に値する統治機構を創り上げるために私たちには何ができるかを国民がまず自分に問うところからしかほんとうの意味での民主主義は始まらない。

（2022年11月7日号）

第5章

米国と中国、漂流する世界

大統領の「属国」視察

トランプ大統領が訪日日程を終えた。

安倍首相はゴルフと大相撲など異例の歓待で日米同盟の緊密さを世界にアピールして堂々たる外交的成果を上げたと大手メディアはうれしげに報じているが、そのような気楽な総括でよろしいのだろうか。

大統領は首相との密談の中身について「農作物と牛肉」をめぐる交渉で「大きな進捗」があったこと、「7月の選挙が終わった後」に「大きな数字」が出てくることまであっさりツイッターで暴露した。

横須賀では空母化される「かが」に搭乗して、米国製の兵器の「最大の買い手」である日本政府がこれから1機150億円のF35ステルス戦闘機を105機購入すること、それを艦載した大型艦船が「すばらしい新しい装備で地域の紛争にも対応することになる」と日米同盟の広域での軍事的展開を予言してみせた。

このどこが安倍外交の「成果」として称賛されるのか私にはわからない。

大統領はただ「属国」を視察に来て、「代官」に忠誠心の踏み絵を踏ませて、満足して帰っ

て行ったようにしか見えない。

大統領は大幅な関税引き下げを求め（それは日本の農業に致命的な打撃を与える）、維持費を含め6兆円の戦闘機を買わせ（それは福祉や教育や医療に投じることができた財源である）、日米同盟の本質が軍事的なものであることを世界に広言した（それは米国が始める戦争に日本が巻き込まれるリスクを高めた）。

大統領が訪日で獲得したものはそのまま日本が失ったものである。

にもかかわらず、多くの日本人がこの「成果」に随喜している。なぜそのような倒錯的な思考ができるのか。

説明できる仮説を私は一つしか思いつかない。

それは「米国の国益を最大化することがわが国の国益を最大化することである」という信憑がひろく日本社会に行き渡っているということである。

これに類する事例を私は他に一つ知っている。

かつてソ連の衛星国の指導者たちが主語を「ソ連」に替えただけで、これと同じ文型で自分たちの統治を正当化していたことがあった。

それらの国々がその後どうなったか。

人々はもう忘れてしまったのだろうか。

（２０１９年6月10日号）

アメリカの強さ

凱風館寺子屋ゼミの今期の主題は「比較敗戦論」である。さまざまな国や集団が敗戦経験をどう生き延びたのか、比較して論じるのである。

今週の発表はベトナム戦争。戦争の経緯を経時的に確認し、その歴史的意味を吟味しているうちに、「米国にとって歴史上初めてのこの敗戦」が米国にそれほど深い傷を負わせていないことに気がついた。

現に、1975年のみじめなベトナム敗戦からわずか16年後に米国は東西冷戦に勝利し、「完全復活」を遂げた。

どうしてそんなことが可能だったのか。

私見によれば、それはベトナム敗戦が米国にとっていかなる経験であったかを彼ら自身で徹底的に抉り出したからである。

私たちはベトナム戦争が米国人にとってどれほど深いトラウマ的経験であったかを知っている。けれども、世界中の人々が米国人の外傷経験を熟知しているということ自体、実はかなり例外的なことではないのか。

小説にはティム・オブライエンの『本当の戦争の話をしよう』があり、映画にはフランシス・コッポラの「地獄の黙示録」やオリヴァー・ストーンの「プラトーン」やマイケル・チミノの「ディア・ハンター」がある。これらの作品は「ベトナムという地獄」のリアルを可視化した。

帰還兵たちが心に負った回復不能の傷は「タクシードライバー」や「ランボー」が描き出した。

戦争指導部の判断ミスは『マクナマラ回顧録』や『ベスト&ブライテスト』が暴いた。「それがどうした。米国はそれだけの非道を犯したということだ」と言い放つ人もいるかもしれないが、同じことをした国が他にあるだろうか。

例えば、ベトナムでみじめな敗戦を喫して、約1世紀にわたって支配してきた植民地を失ったフランスはそのトラウマ的経験をどのような文学作品や映画や歴史研究として開示してきただろう。大日本帝国とのインドシナ共同統治についてフランスはこれまでどんな史料を公開してきたか。

米国が強国たり得ているのは自国の「負の歴史」を容赦なく開示することによってのみ国民は敗戦の外傷的経験から立ち直ることができるということを知っていたからではあるまいか。

（2019年8月5日号）

「21世紀の合従論」

前から「東アジア共同体」を提唱している。

日韓連携を中核として、台湾、香港を結ぶ「合従(がっしょう)」を以て、米中2大国の「連衡(れんこう)」戦略に対応するというアイデアである。

荒唐無稽な話だが、利点はこのエリアに居住している人々のほぼ全員が「合従連衡」という言葉を知っているということである。

戦国時代に燕趙韓魏斉楚の六国同盟によって大国秦に対抗することを説いた蘇秦の説が「合従」。6国を分断して、個別に秦との軍事同盟を結ばせようとしたのが張儀の説いた「連衡」である。

歴史が教えてくれるのは、より「現実的」と思えた連衡策を取った国々はすべて秦に滅ぼされたという結末である。

東アジアでは、中学生でもこの話を知っている。

だから、誰でもが「米中2大国のいずれかと同盟する」という解の他に「同じ難問に直面している国同士で同盟する」という解が理論上は存在することを知っている。

「ほら、あれ、『合従』ですよ」と言えば話が通じる。別に国際関係論上の新説を頭から説明しなくて済む。

日韓に台湾・香港を足すと、人口2億1千万人、GDP7兆2500億ドルの巨大な経済圏ができ上がる。何よりこの4政体は民主主義という同一の統治理念を共有している。

とりわけ日韓は家族形態が同型的である。

エマニュエル・トッドによれば、家族形態が同型的であれば、めざす国家体制も同型的になる。

「このメカニズムは自動的にはたらき、論理以前のところで機能する」(『世界の多様性』)

興味深いことに、中国でも、秦だけが共同体家族制で、東方の六国は直系家族制だった。つまり、「合従連衡」は単なる政治単位の数合わせゲームではなく、無意識のうちに、志向する国家形態の違いを映し出していたのである。

明治時代には樽井藤吉の『大東合邦論(だいとうがっぽうろん)』というスケールの大きな合従構想があった。いま中国の「秦化」に向き合う東アジア諸国は改めて「21世紀の合従論」を語ってもよいのではあるまいか。

日韓の断絶がそれを不可能にしているのだが、私は嫌韓言説は「無意識的な連衡論」ではないかとひそかに疑っている。

(2019年10月7日号)

「マッドマン・セオリー（狂人理論）」

イラン革命防衛隊のソレイマニ司令官が米軍のドローンによる爆撃でバグダッド空港で殺害された。自分たちが敵とみなす者は、いつでも好きな時に、好きな場所で殺すことができることをトランプ大統領は世界に誇示してみせた。これをきっかけにアメリカとイランの戦争が始まることを恐れる声は多い。トランプはいったい何を実現しようとしてこのような行動に出たのだろうか。

トランプはリバタリアン（自由至上主義者）である。リバタリアンには二つ嫌いなものがある。納税と徴兵である。自分が経済的にどう困窮しようと公的支援を求めない（だから税金は払わない）。自分の命は自分で守る（だから軍隊には行かない）。

というのがリバタリアンの骨法である。

トランプは足の疾患を理由に兵役を逃れ、大統領選挙中に連邦所得税の不払いを咎められた時にも「私が節税できるのは、私がスマートだからだ」と意に介さなかった。

リバタリアンなら軍隊が嫌いなはずである。将軍たちも彼のことを嫌っているはずである。

そういう人物がなぜ好んで「戦争カード」を切ってくるのか。

将軍たちより自分の方がスマートに戦争をマネージできることを誇示して、将軍たちに屈辱感を与えたいのかもしれない（彼は人に屈辱感を与えることになると異常に勤勉な人間だから）。あるいは北朝鮮相手にしたように、軍事的恫喝（どうかつ）を加えた後いきなり友好的な態度に切り替えて局面を打開する例の「ディール」がしたいのかもしれない。

トランプが何を考えているかは誰にも分からない。権力者が「何を考えているのか分からない」と思わせることで他のプレーヤーたちをコントロールする政治技術が存在する。「マッドマン・セオリー（狂人理論）」と呼ばれるもので、リチャード・ニクソンはその信奉者であった。

大統領の知性が不調で、情緒が不安定で、「次に何をするか分からない」と思わせることで、他国のアメリカに対する態度を抑制的なものにおしとどめることは理論上は可能だ。だが、おのれの知的安定性を放棄することを代償にして他人を支配しようとする人間の言葉を誰がこれから信じるだろう？

（2020年1月20日号）

米国内に存在する不安

近年、米国発の記事中に「中国恐怖（China Scare）」の文字列を見るようになった。

「赤色恐怖（Red Scare）」なら過去に2度先例がある。

1度目はロシア革命直後に米国の支配層に取り憑いた「共産主義革命が近い」という恐怖症、2度目は1950年代のマッカーシズムの時代に広まった「政府内部にソ連のスパイがいて、アメリカの政策決定に関与している」という妄想である。

かつて中国人労働者たちは「黄禍」として排斥の対象になったけれど、「恐怖」の対象ではなかった。9・11以降の米国内には「イスラモフォビア」は蔓延したが、「イスラム恐怖」という言葉の用例は寡聞にして知らない。

米国民の恐怖の対象となるのは「米国の政体に影響を与え得るだけの力を持つもの」に限定される。今、中国はそのようなものと想定されているのである。

それはＡＩの軍事転用の領域で米国は中国に「危険なまでに出遅れている」というコンセンサスが米国内に形成されているからである。米中のＡＩ軍拡競争を扱った2019年6月号の「フォーリン・アフェアーズ・リポート」で、ある論者は米軍は「より優れた戦略をもつライバル」に直面しており、「勝ち目のない戦いをしようとしている」と書いていた。

2017年のランド研究所の報告は「米軍は次に戦闘を求められる戦争で敗北する」と結論づけていた。統合参謀本部議長も「われわれが現在の軌道を見直さなければ、量的・質的な競争優位を失うだろう」と警告している。

もちろん、軍人はつねにライバルの強大さを過大に表現することで、予算と権限の拡大を目指すものだから、この言葉を額面通りに受け取ることはできない。それでも、ＡＩの軍事転用で米国は中国に出遅れたという不安が米国内に存在するのは事実である。それが「中国恐怖」の現実的根拠である。

興味深いのは、米国の雑誌に「中国恐怖」の語が頻出するようになってから日本国内の「嫌中」言説が抑制的になったことである。

米国の「中国恐怖」が日本政府に感染し、「中国敵視は自粛した方がいい」という指示がレイシスト陣営にも下達されたのであろうか。

（２０２０年２月３日号）

米国は偉大になれない

5月25日、米ミネアポリスの路上で一人の黒人男性が白人警官に押さえつけられて死亡する事件が発生した。

「息ができない」と訴えるのを無視して、暴行を続ける警官たちの様子を映した動画が拡散したことをきっかけに、警察の暴力に対する抗議行動が広がった。

抗議者の一部は暴徒化した。ミネソタ州では非常事態が宣言され州兵が動員されたが、抗議

行動は収束せず、全米に拡大した。

事件の背景には米国における人種差別と、黒人への白人警察官の日常化した暴力が存在するわけだが、事態の鎮静に当たるべきトランプ大統領はツイッターに「どんな困難でもわれわれはコントロールする。掠奪(りゃくだつ)が始まる時、銃撃が始まる」と投稿し、市民への銃撃の可能性を示唆した。

ツイッター社はこの投稿が「暴力を督励するもの」と判断して、警告表示を付した。「掠奪が始まる時、銃撃が始まる」はベトナム反戦運動と公民権運動の渦中にあった1967年のマイアミで、秩序を保つためには市民への銃撃も辞さないと揚言した警察署長の発言の引用である。

怒る市民を鎮静させ、国民同士の対立を緩和することを本務とするはずの大統領が、全米で正義を求めて立ち上がった市民たちをひとしなみに「掠奪者・破壊者」と決めつけ、連邦軍まで投じて鎮圧すると脅したことに市民は強い怒りと悲しみを同時に感じている。

フォロワー8640万人を誇る歌手テイラー・スウィフトはこの発言に対して、きっぱりと「11月にはあなたを選挙で落とす」と宣告した。

多くのセレブがこれに続き、企業も次々と差別反対の立場を明らかにしている。

ツイッター、アマゾン、グーグル、ユーチューブ、ネットフリックスなど主だったメディア

関連企業が足並みを揃えた。

この原稿が掲載される時点で事態はどう展開しているか予測がつかない。しかし、国の内外に「敵」を創り出し、敵を排除しさえすれば米国は再び偉大になれるというトランプのシンプルな手法が破綻したことは、現在の事実が証明している。

トランプのような人間を大統領に選んだことで、米国民はいったいどれほどのものを失うことになるのか。

（2020年6月15日号）

再び前景化した宿病

米国での感染拡大が止まらない。

テキサス、ミシシッピ、ルイジアナ、フロリダといった南部諸州で感染者が急増している。いずれも共和党の金城湯池（きんじょうとうち）である「レッド・ステイツ」だ。

その地では「コロナなんかただの風邪だ」というトランプ大統領のマッチョな態度が好感されている。オクラホマ州タルサでは、先月大統領の支持者集会が地元当局の延期要請を無視して開かれ、6千人余りの支持者がマスクなしで密集した。2週間経ってみたら、予想通り感染者が急増した。

地図を見ると、南部が感染拡大・北部が感染収束で色分けされている。

南北戦争が終わって150年経ってもまだ南北対立は残存しているのである。

南部は探検家ラ・サールがルイ14世にルイジアナを寄贈してから19世紀はじめに米国が購入するまで、久しくブルボン王朝フランスの植民地であった。そこでは奴隷労働力に基づいて煙草や綿花など商業作物栽培が行われた。

その系譜を受け継ぐ人たちは前近代的な権力関係に違和感を持たない。だから、南部は奴隷制の撤廃にも、人種差別・人種隔離政策の撤廃にも最後まで抵抗したのである。

北部はその点が違う。

1848年、ヨーロッパ諸国で市民革命が挫折した後、多くの活動家が祖国を逃れて米国に入植した。彼らを「48年世代（フォーティエイターズ）」と呼ぶ。

彼らの多くは高学歴・高度専門職であり、入植地での指導層を形成した。

そして「ネイティヴィズム（古くからの入植者を優先する政策）」と奴隷制に反対して、新旧入植者の平等、人種間の平等を訴えた。

マルクス、エンゲルスの「新ライン新聞」以来の盟友で、米国最初のマルクス主義政治組織を立ち上げたJ・ヴァイデマイヤーもその一人である。

彼はリンカーンの大義に共感して、ドイツ移民たちの義勇軍を組織して、北軍大佐として歩

兵連隊を率いて南軍と熱戦した。そして、戦争が終わると再び第一インターナショナルと連携して米国の労働運動を領導したのである。

この一例からも南北のエートスの差は知れるだろう。

パンデミックは米国の宿病である南北対立を再び前景化させつつあるようだ。

（２０２０年7月27日号）

中国政府に生じる微妙な翳り

香港警察が香港国家安全維持法違反の疑いで周庭氏ら民主派活動家たちを逮捕したニュースが世界を駆け巡った。

翌日には釈放されたが、中国政府はこの逮捕劇を大々的に報じることで、これからは香港においても「任意の人物を、任意の時に、任意の期間勾留できる」ことを誇示してみせた。

北京はどういう目算があってこのような強権的な態度を採ることにしたのか、正直言って、私にはよくわからない。たしかにパンデミックによってアメリカが国際社会の指導力を失い、それによって西太平洋に政治的空白が生まれていることは事実である。

だからこそ、いちはやく感染制御に成功した中国は、このあと豊富な医療資源を外交カード

に使って、各国に対して幅広い医療支援を行うことで米国に代わって国際社会におけるグローバル・リーダーシップを発揮する……という「医療外交による影響力の拡大路線」を採択するだろうと私は予測していた。

私がもし中国国務院の役人だったら、ためらわず「医療支援の拡大とワクチン開発競争の勝利を最優先すべきだ」と上申しただろう。

どう考えても、香港市民を弾圧したり、隣国の国境線を脅かして軍事的緊張を高めたりするよりも、人命を救う医療外交の牽引役となることの方が国際社会における中国の威信を高めるためには費用対効果がよいからだ。

だが、北京はその「ソフトな外交」を選ばず「戦狼外交」を選んだ。

なぜ、北京は国際社会に恐怖と不信を喚起することを優先したのか？　それについて私は誰からも説得力のある説明を聴いていない。

あるいは中国国内で習近平独裁に対する不満が想像以上に高まっているのかも知れない。現に、党中央を批判した知識人や実業家が次々と処分されている。多くは「紅二代」と呼ばれる建国の元勲たちの子弟である。

体制の受益者が体制批判をしていることの意味は重い。

政権基盤が安定している時にはできる譲歩が、不安定になるとできなくなる。

香港民主派への弾圧が「いかなる政府批判も許されない」という国内向けのメッセージだとすると、中国政府のガバナンスには微妙な翳（かげ）りが生じている可能性がある。

（2020年8月31日号）

「文明」と「野蛮」の岐路に立つ

アメリカ大統領選の二人の候補者の討論を観た。

ほとんど「罵（のの）り合い」に近いものだった。相手の話の腰を折って自説を叫び続けるトランプに比べるとバイデンの方がまだしも冷静に見えたが、それでもトランプを「道化師」「愚か者」と呼び、「史上最悪の大統領」と決めつけた。これでは取りつく島がない。

アメリカの国民的分断は根深いと思った。

国民が利害や思想の異なるいくつかの党派に分断するのは仕方がない。しかし、それでも公人たる者は、自分の支持者だけでなく、自分の反対者をも含めて国民全体の奉仕者であるという「建前」だけは意地でも手離してはならない。

オルテガ・イ・ガセットは「野蛮」を「分解への傾向」のことと定義した。

「文明はなによりもまず、共同生活への意志である」（『大衆の反逆』）

人々が「たがいに分離し、敵意をもつ小集団がはびこる」さまのことをオルテガは「野蛮」と呼んだ。それに対して、「文明」とは「敵とともに生き、反対者とともに統治する」ことだと高らかに宣言した。

むろん、容易には実現しがたい理想である。

けれども、この理想をめざすことを止めた後、私たちはいったい何を目標にして生きてゆけばよいのか。

国民国家というのは「利害を共にする人々から成る政治単位」という政治的擬制である。たしかに擬制ではあるが、この定義を放棄したら国民国家は維持できない。

当面国民国家という政治単位以外に使えるものを持たない以上、私たちは「できるだけ多くの国民の利害が一致する」ようなシステムの構築をめざさなければならない。

文明的であるというのは「敵と、それどころか、弱い敵と共存する決意」を宣言することである。理解も共感もしがたい不愉快な隣人との共生に耐えるということである。

だから、文明的であることは少しも愉快でないし、効率的でもない。そういうのは嫌だという人たちは理解と共感に基づいた同質的な小集団に分裂してゆくだろう。

だが、繰り返すが、オルテガはそれを「野蛮」と呼んだのである。

アメリカは今「文明」と「野蛮」の岐路に立っている。

（2020年10月12日号）

トクヴィルの卓見

米大統領選が終わった。

トランプ大統領は開票の不正を訴え、負けを認めずに「よい敗者」になれずにいる。これまでトランプを支持してきた右派メディアや共和党議員からも見放され始めた。「悪あがき」という他ない。ホワイトハウスから出たがらないのは私人となった場合に刑事訴追されるリスクを恐れているのではないのか。そう思われても不思議はないほど、彼は「李下に冠を正し、瓜田(でん)に履(くつ)を納(い)れ」てきた。

それにしても、なぜこのような人物に米国の有権者は4年間国政を委ねたのだろう。

フランスの思想家トクヴィルは自著『アメリカのデモクラシー』で、米国の選挙制度には不適切な人物を指導者に選ぶリスクがあることを指摘していた。

アンドリュー・ジャクソン大統領についてトクヴィルはこんな評価を下した。

「ジャクソン将軍は、米国の人々が統領としていただくべく2度選んだ人物である。彼の全経歴には、自由な人民を治めるために必要な資質を証明するものは何もない」

では、米国市民はなぜ凡庸な人物を選んだのか。

それは「戦争のない国でしか長く語り草になることはない」ニューオリンズでのささやかな「軍功」のゆえだった。ただし、トクヴィルが「統領としていただくべき」軍人の範としたのはナポレオンである。それと比べてジャクソンの資質を論じるのは気の毒だ。

その上で、資質に問題のある人物を大統領に選ぶリスクを含めて米国の民主制は機能しているとトクヴィルは考えた。

米国民主制の際立った特徴は、為政者は徳性と能力において他国に劣るが、国民は他国より開明され思慮深いという点にある。つまり、米国の民主制は統治者と国民の距離が近く、能力においてそれほど変わらないように制度設計されているのである。

だから、為政者は国民の意に沿わない政策をとることができず、長く政権の座にあることもできない。国民の意に反する政策を強行できるほどに賢く強い指導者を持ち得ないことこそが米国民主制の手柄なのだという不思議な褒め方をトクヴィルはした。

それから200年経ったが、米国の民主制については、トクヴィルの卓見が今も通用するのかもしれない。

（2020年11月23日号）

誰かを傷つけ、誰かを利する

凱風館の寺子屋ゼミ後期のテーマは「米国」。

先日の発表は「１９２０年代」だった。ジャズ・エイジ、「失われた世代」、大恐慌、「アンタッチャブル」といった文字列から断片的な印象は浮かぶが、実際には米国の１９２０年は、今からでは想像しにくいが、「革命の予感」とともに明けた。

17年のロシア革命の翌年、レーニンは「アメリカの労働者たちへの手紙」で「立ち上がれ、武器を取れ」と獅子吼(ししく)した。そして、過激派による爆弾テロが米国内では散発的に起きていた。19年6月の同時多発爆弾テロでは、司法長官ミッチェル・パーマーの自宅にも爆弾が投げ込まれた。危機一髪で命拾いしたパーマーは「武装蜂起は近い」という確信を深めた。

武装蜂起は必ず起きる。問題は「いつ」「どこで」だけだ。

パーマーは司法省に入ったばかりの若者J・E・フーヴァーに情報収集の任務を与えた。

フーヴァーはパーマーの期待に応えて、秘密革命組織が20年5月1日に一斉武装蜂起を企てているという「情報」を上げた。信じたパーマーはニューヨーク、ワシントンDCはじめ全米の大都市に警官を動員して、要人警護に当たらせた。

しかし、メーデーには何も起きなかった。パーマーは全米の「笑いもの」になり、W・ウィルソンの後を襲ってホワイトハウス入りが確実視されていながら、大統領候補レースから脱落する。

一方、その原因を作ったフーヴァーは後任の司法長官に首尾よく取り入り、新たに立ち上げられた連邦捜査局（ＦＢＩ）のトップに抜擢され、以後48年にわたり米諜報機関に君臨したことはご案内の通りである。

１９２０年の米国社会には革命が起きる現実的な可能性はほとんどなかった。そのことを私たちは今では知っている。けれども、リアルタイムでは暴力革命を本気で恐怖している人たちが政権中枢にいたのである。そして、その恐怖を利して巨大な権力を手に入れた人間もいた。

米国では武装蜂起が準備されているという「フェイクニュース」がネットには今日も流れている。その嘘がいずれ誰かを傷つけ、誰かを利することになるのだが、私たちはそれが誰であるかを今は知らない。

（２０２１年1月11日号）

気の重いタスク

習近平主席の強権的な政治はこれからも続くのだろうか。

中国共産党の党内事情も政策決定プロセスも私は知らないが、統治者が過剰に強権的にふるまうのは政権基盤が不安定な時だということは歴史から学んだ。

中国の国民監視システムは世界一である。それだけ政府が国民を信用していないということ

である。
久しく中国の治安維持予算は国防予算を超えている。それは国内の反政府勢力のもたらすリスクの方が国外からの侵略のリスクよりも高いと政府が判断しているということを意味している。

日本政府も国民監視をしているが、日本学術会議の新会員任命拒否問題で露呈したように官邸は反政府的な言論人のリスト化を手作業でやっているらしい。

こんな話を聴いたら、中国政府の国民監視担当者は「あんたらは気楽でいいよ」と腹を抱えて笑うだろう。

中国政府が政権の先行きに強い不安を抱いている最大の理由は人口動態である。

米国勢調査局の予測では、中国は2027年に人口増がピークアウトし、それから急激に超少子化・超高齢化局面に入る。2040年に65歳以上の高齢者は3億2500万人を超え、現在37・4歳の中央年齢は48歳に達する。

1979年から2015年まで「一人っ子政策」が採られていた間、多くの夫婦が跡取りとなる男児を求めたので、この世代は男性人口が過剰になっている。

彼らは配偶者を得ることができず、未婚のまま老齢に近づいている。

親も妻も子も兄弟姉妹もいない数千万の高齢者（その多くは低学歴、低技能である）の老後を

支援する仕組みを今の中国社会は持っていない。

中国人は伝統的に経済リスクを回避するために国家や自治体よりも身近な親族ネットワークに依存してきた。そのネットワークを持たない人たちが大量発生するのだ。

高齢化と人口減は間違いなくこれからの中国社会の土台を揺るがすことになるだろう。

香港や新疆(しんきょう)ウイグルや台湾に対する習近平政権の強硬姿勢はいずれ人口動態がもたらす政府のハードパワーの低下に先んじて、すべてのリスク要因を「芽のうちに」摘(つ)んでおくための気の重いタスクなのだろうと思う。

（2021年1月25日号）

「台湾侵攻」というトピック

台湾出身で上海に出向中の門人が一時帰国して挨拶に見えた。

中国はどんな具合か話を聴いた。

「走っている自動車の半分は電気自動車」「レストランも買い物もすべてスマホ決済」という話にも驚かされたが、一番ショックだったのは、台湾出身である彼に向かって同僚の中国人たちが悪びれることなく「もうすぐ台湾侵攻だ」と放言するという話だった。

中国政府が「台湾への軍事侵攻を辞さず」と広言するのは今に始まったことではないが、メ

ディアが「侵攻近し」という世論形成にまで踏み込んでいるとは知らなかった。

アメリカのメディアでも「台湾侵攻」をめぐる記事が増えている。台湾を守るために米軍が出動するべきか否かというシリアスな問題について、ある国際関係論の専門家は米中戦争を回避するための最善の選択肢は台湾を見捨てることだと主張している。

「台湾はアメリカにとって死活的に重要な利益ではない」。たしかに2300万人の活気に満ちた人口を擁する民主国家ではあるが、「日本や韓国と違って、アメリカの安全保障の枠組みに位置づけられることはあまりない」というのである（C・L・グレイザー、『台湾と中国』というアメリカ問題」、Foreign Affairs Report, 2021, No.6)。

台湾防衛のために米軍を出すべきだと主張している人たちは「イデオロギー」や「人道的」配慮からそう言っているに過ぎず、クールな政策判断に基づくものではない。

台湾を見捨てた場合に、日本と韓国という東アジアの盟邦が米国に対して不信感を抱くのではないかという懸念を持つ人がいるようだが、心配するには及ばない。

台湾を見捨てても、東京とソウルは「アメリカへの信頼感を失うことはない」。むしろ日韓は米国が台湾を見捨てるのを見て、日韓両国が米国にとっては台湾よりも重要な軍事的拠点であるという事実を理解して安堵するだろう、と。

このような過激な議論が米国内でどれほど受け入れられているのか私には分からない。だが、

米中両国内で「台湾侵攻」が喫緊のトピックになっていることは事実である。総裁選の人気投票に紙面を割いているような余裕があるのだろうか。

（２０２１年９月20日号）

人間の無駄遣いはもうできない

中国政府が７月に「双減政策」を発表した。「双減」とは「宿題を減らす」と「学習塾通い負担を減らす」の二つの「減」のことである。宿題は小学校３〜６年で１日60分以内、中学生で90分以内と規制された。学習塾は新規開校不可。既存の塾については非営利化が求められた。当然、大手の学習塾や英語学校がばたばたと破綻した。

中国政府は何を考えてこんなことを始めたのか。

中国は伝統的にきびしい選抜試験を勝ち抜いたエリートに資源を集中するという「勝者総取り」方式を採ってきた。科挙がそうだ。

しかし、中国共産党は教育資源の偏在が清朝滅亡の原因と考えて、建国後は国民に平等な教育機会を提供して、国民全体の知的パフォーマンスを向上させることをめざした。

この判断は正しかったと思う。しかし、文化資本を独占する知識層への行き過ぎた警戒心が

今度は文化大革命という反知性主義をもたらし、教育制度が破綻した。

その反省を踏まえて教育制度は再建されたのだが、それがまた行き過ぎて、受験に勝ち抜けばエリートになれるという「科挙マインド」が復活して子どもたちが苦しむことになった。そこで今度は「双減」である。まことに振れ幅の広い国である。

ただ、今回の方針転換は2027年から始まる人口激減と超高齢化を見越したもののように私には思われるのである。

国民たちを「勝者が総取りし、敗者は無一物」という苛烈な競争にさらせば経済は急成長するという時期は終わった。これからは、全員に等しく資源を分配し、全員がその個性的な資質才能を生かして多様な職域で活動できるという「協働方式」にシフトすることになるのだと思う。そうしないともう経済が持たないからである。

というのは、「勝者総取り」が可能なのは敗者がいくらでも補充できることが前提になっていたからである。でも、人口減でそれが許されなくなる。

人間の無駄遣いはもうできない。

国力を維持するためには、国民一人一人のパフォーマンスを底上げするしか手がない。

もし、この教育改革が「人間を使い捨てにする政治から人間を育てる政治」へのシフトを意味するのだとしたら中国国民にとっては幸いだと思う。

（2021年11月1日号）

人口減と高齢化

中国にとっての喫緊の危機は台湾海峡の軍事的緊張よりむしろ人口減問題かもしれない。中国における人口問題とは久しく「人口過剰」問題であった。14億人というのは19世紀末の世界人口である。それが一国領土内にひしめいているのはどう考えても異常である。だから人口抑制のための「一人っ子政策」が1979年から2015年まで実施された。けれども、少子化と教育費の高騰によって、中国の人口問題はいきなり「人口不足」問題に一変した。

人口問題の不思議はこの点にある。過剰か不足かどちらかの様態しかなくて、「ちょうどよい」ということがない。日本でもある時期まで「人口問題」は「人口過剰」のことだった。それがある時期から「人口減少」に変わった。

どうしてこんなことが起きるのか。

おそらく「いずれ人口が減りだして大変なことになるが、それまでは増え続ける」という場合にはどの国の為政者も「人口増」という目先の現実に適応して社会制度を設計し運営するからである。そういうのが「リアリスティック」だと思っているのであろう。

ニュースを報じたニューヨーク・タイムズの記事は「中国は中国政府も国際社会も想定していなかった規模の地殻変動的な人口動態的危機に直面している」と書いているけれども、これは言い過ぎだと思う。人口がいつかピークアウトすることをずいぶん前から北京は予測していたはずだからである。にもかかわらず人口が増えている間は人口減政策を後回しにした。

そのようにして人口問題についてはほとんどの国の政府は構造的に「後手に回った」。

米政府の予測では、中国の生産年齢人口はこれから20年で30％近く減り、代わりに高齢者が爆発的に増加する。中国の中央年齢は現在38歳で米国とほぼ同じだが、20年後には48歳となり、今の日本を抜く高齢社会になる。

中国政府はとりあえず出産の奨励と教育費の抑制で対処するようだが、奏功する見込みは薄いだろう。本来なら「人口減先進国」たる日本が「生き延びるための施策」を中国に教示すべきなのだが、むろん日本にもそんなものはない。

（2022年1月31日号）

ウクライナの戦争映画

ロシアのウクライナ侵略についていろいろな人から意見を求められる。

門外漢だから語るべき知見は持ち合わせていない。しかし、近しい人に訊かれたら何か言わ

なければならない。

とりあえずウクライナ映画（およびウクライナを舞台にした映画）を6本観た。ある国の人々が「自分たちを何ものだと思っているか」を知るためには彼らが繰り返し語る原型的説話に当たるのが捷径（しょうけい）であるというのは私の経験的確信である。

ランダムに選んだ6本のうち3本が「ロシア（ソ連）との戦争」の映画、2本がスターリン時代のウクライナ飢饉とカニバリズムのトラウマを描いた映画、1本がソ連崩壊後のウクライナの道義的堕落を伏線にした映画だった。戦争映画はどれも「ロシア（ソ連）が侵略してきたので、市民が銃を執って祖国を英雄的に防衛する」話だった。

これらの映画がどこまで歴史的事実を正確に映し出しているのか私にはわからない。当然かなり美化されているだろう。

だが、ウクライナの人々がこのような物語を繰り返し服用することによって国民的アイデンティティーを基礎づけてきたのだとすれば、今回のプーチンの侵略についても、多くの国民は強い既視感を覚えたはずである。「また映画と同じことが起きた」と。

そして「映画の登場人物たちはこのような状況でどう行動したか」を参照しつつ、それを再演するにせよ変奏するにせよ、自分の次の行動を決定したはずである。

興味深かったのは戦争を描いた映画が必ずしも「ウクライナの英雄的愛国者対鬼畜ロシア・

親露派」という単純な善悪二元論ではなかったことである。

ウクライナ兵同士でも銃を執った動機が違い、あるべき国の理想像が違い、歴史解釈が違い、議論し、罵り合う。一方、ロシア兵や親露派にも必ず侵略の大義名分や個人的な厭戦気分を語らせる。さまざまな視点を提示して、観客に「誰に理があるか、あとは自分で考えてくれ」と差し出すというタイプの戦争映画だった。

映画を観て、ウクライナの人々がこれまでずいぶん苦労してきたこと、その経験によってある種の政治的成熟を遂げたということだけは私にもわかった。

（2022年3月14日号）

「プランZ」というカード

ウクライナ侵攻が始まって3週間余りが経過した。侵略3日後に私はSNSにこう書いた。

「プーチンのシナリオは（1）電撃的にウクライナ軍を撃破（2）キエフ占領（3）大統領逮捕（4）傀儡政権樹立（5）傀儡政権によるロシアとの平和条約締結と東部独立承認（6）反ロシア派市民の大量国外脱出、というものだったと思う。それを48時間以内くらいで仕上げるつもりだった。ふつう戦時大統領に対しては熱狂的に支持率が高まるが、ロシア国内世論はそうなっていない。プーチンが一番恐れているのは国内で『この戦争には大義がない』という世

論が広まることだろう」

プーチンのこのシナリオは破綻した。

親露派による傀儡政権を立てて、ウクライナ属国化の既成事実を作ってしまえば、欧米は足並みが乱れて効果的な制裁に踏み切れない。プーチンはそう予測してことを始めたのだと思う。私のような門外漢でも公開情報からそれくらいのことは推測できる。

問題なのは私のような素人でも推理できる程度の「プランA」だけしか持たずにプーチンが戦争を始めたらしいということである。短期間に首都を制圧できなければ当然泥沼の持久戦になる。ウクライナ市民の抵抗の意思は強く、士気は高い。

一方、ロシアの側には国内外から熱烈な支援を集められるほどの大義がない。「ウクライナ政府はネオナチに支配されている」というプロパガンダを信じるのは情報統制下にあるロシア国民だけだろう。

この国際的孤立の中でどうやってロシアは退勢を挽回する気なのか。

プーチンは早々と「核攻撃」というカードを切ってきた。

これは第3次世界大戦を始めてもいいのだという意味である。自分が退場する時には人類を道連れにしてもいいという意思表示である。「プランA」がダメならBもCもなく、いきなり「プランZ」というのは要するに「プランがなかった」ということである。

これは大国の指導者としてはあり得ない失策である。
失敗の可能性をゼロ査定して戦争を始めた時点でプーチンはすでに負けていた。
彼が何億人かを道連れにできたとしても「負けた」という歴史的事実は変わらない。

（2022年3月28日号）

第6章

成熟しない日本の教育

教育者としての見識

　ある医療系大学で理事をしている。

「世間の常識」を代表して、理事会の審議内容に疑義があれば質す「小言幸兵衛」のような仕事だと言われて引き受けた。

　私に「世間の常識」を代表させるのはかなり無理があると思うが、医学教育と病院経営の現場に触れる機会を得たのは私にとっては裨益するところが多かった。

　だから、東京医科大学の入試不正の報道が出た後、理事会で「本学はそういうことはしていないでしょうね」と質した。

「ありません」という回答を得て安堵していたら、翌月の理事会で、実は現役・1浪生に加点していたこと、同窓生子弟を優先的に補欠合格させていたことが文部科学省の立ち入り調査で明らかになったと聞かされた。

　前月と話が違うので、いささか気色ばんだら「不正だという認識がなかった」と説明された。文科省から改善の指摘を受けたので、それに従うことになったそうである。

　私学の場合、「望ましい学生像」は大学ごとに違う。

「建学の精神を理解し、忠誠心を持つ学生が欲しい」という願望はどこの大学にもあり、「総合的に判断する」というのは、ペーパーテストの点数以外のファクターで合否を決めるということである。推薦入試もＡＯ入試もその趣旨で行われている。

その意味で、私学の入試には完全な公平性は期し難い。そもそも「学力試験の点数だけで合否を決めるべきではない」というのは世論の大勢である。

だから、問題は透明性の方になる。

合否に「学力試験の点数以外のファクター」を関与させるのは大学側の自由である。

だが、そのことはあらかじめ受験生に開示されなければならない。

仮に女子や多浪生を避けたい、同窓生子弟を優先合格させたいというなら、その「アドミッション・ポリシー」を公開するのがことの筋目である。

開示しなかった以上、それが「実は許されないこと」だと知っていたと解されても弁疏の余地はない。

制度上の不備は技術的に解決できる。

だが、アドミッション・ポリシーそのものに瑕疵があるとしたら、それは教育者としてのわれわれの見識が問われているということになる。

（２０１８年10月29日号）

「親の支配」からの離脱

続けて2度、中高生に講演する機会があった。せっかくなので、親も教師も、大人たちがあまり言いそうもないことを選択的にお話しした。学校の講演会ではまず口にされないけれど、子どもたちにとっては緊急に学ぶべき情報は「親の支配からどうやって離脱するか」である。

こんな話をした。

親から離脱するのは成長するためである。

父親は自分の子どもがほんとうは何ものであるかについてはげしく勘違いしており、その理解不足ゆえに子どもの成長を妨害する。

母親は自分の子どもの弱さや脆(もろ)さや卑しさを熟知しており、その理解過剰ゆえに子どもの成長を妨害する。

父親は進路や就職や結婚についてほぼシステマティックに的外れなアドバイスをして子どもをうんざりさせ、母親は子どもたちの非力や無能を熟知しているせいで、子どもたちが身の丈に合わない夢を見ること、野心を抱くことをきびしく禁じる。この部分にはとりわけ女子生徒たちがつよい情緒的反応を示した。

でも、子どもたちがなすべきなのは「親の支配」からの離脱であって、親を批判することでも、嫌うことでもない。

君たちは一度遠ざかった後に、やがて親たちを理解し、受け入れ、愛するようになるだろう。親を適切に愛するようになるためには君たち自身が成熟する必要がある。

そのためにはまず一度親から離れなければならない。

それが決定的な離脱であれば、一度で十分だし、期間も長い必要はない。けれども、一度は親の大気圏から離脱する必要がある。

親と子の関係は生涯を通じて何度も変化する。

無条件に愛し、信頼している時期があり、煩わしくてたまらない時期があり、不安や気づかいにとらわれる時期があり、穏やかな愛情に包まれる時期がある。

親子のつながりは成熟の度合いに従って変遷する。

安定的で、親密な親子関係がずっと続くことを理想だと諸君は思っているかもしれないけれど、そうではない。

君たちが成長の階梯(かいてい)を一段上るごとに親はその相貌を変えてゆく。

だから今親を疎んじる気持ちがあっても、それを恐れたり隠したりする必要はないのだ。

彼らは私の話をどう受け止めただろう。

(2018年11月12日号)

「推理の妙術」を求める私の旅

「論理国語」という新課程が登場すると報道で知ってはいたが、中身が分からない。最近国語の先生がたとお会いする機会があったので、教えてもらった。

学習指導要領によれば、論証のための語彙や文章構造に習熟し、情報を階層化して整理し、推論し、主張を支える根拠を示し、読者を説得することなどが学習目標に掲げられていた。それだけ見れば、結構なことが書いてある。

しかし、そのような能力をわざわざ「文学国語」と切り分けて選択的に開発する喫緊の理由がよく分からない。

断片的な情報を素材にして推論し、立てた仮説を検証する過程を心躍る文体で表現した文章に魅了されたのは、私の場合は、エドガー・アラン・ポウの『黄金虫』を読んだ時である。羊皮紙に書き残された暗号を解読して、海賊キッドの財宝を発見する推理のプロセスに、小学生だった私は激しく興奮して、「こういう知性の行使ができたら、どんなに素晴らしいだろう」と嘆息した。

当然、その後『盗まれた手紙』を読み、『モルグ街の殺人』を読み、さらにコナン・ドイル

のシャーロック・ホームズで推理の至芸に触れるに及ぶのは当然のことであった。「推理の妙術」を求める私の旅はポウに始まり、15年ほど後にクロード・レヴィ＝ストロースの『野生の思考』に至ってやんだ（断片的情報から驚嘆すべき仮説を推論する能力においてレヴィ＝ストロースを超える知性を見いだすことは難しい）。

生徒たちが論理的な思考とはどういうものかを知るなら、コナン・ドイルを読むだけで十分じゃないですか（できたらポウも）と私は不機嫌な声で国語の先生たちに申し上げた。

不機嫌になったのは「論理国語」のモデル問題として示されたのが、どこかの学校の生徒会での会話と生徒会規約を読み合わせて、「発言者が規約のどの条項に依拠して発言しているのか」「規約上、今年度中に生徒総会が開けるか」を問うものだったからである。

例規集や契約書を読むと知的興奮を覚えるという人間もどこかにいるのかもしれないが、私が知る限り、子どもたちを論理的思考に導くのは「論理的に思考している知性の鮮やかな働き」に触れる経験以外にない。

（2019年4月8日号）

外国語を学ぶとはどういうことか

英語の民間試験導入が延期されることになった。

英語教育の専門家たちがこぞって反対していたこの制度になぜ文部科学省はあれほど固執したのか、わからないことが多すぎる。

わからないことの一つは文科省が文学作品を熟読したり、誤りのない英文を書いたりすることよりも、英語で円滑に会話できる力の開発にのめり込んでいることである。

流暢(りゅうちょう)にビジネストークができて、英文契約書がすらすら読める能力が何よりも優先するという英語教育観は産業界と民間の英語教育業者によって流布されてきた。だが、この人たちは自動翻訳機械の急速な発達についてどうお考えなのであろうか。

手のひらサイズの自動翻訳機がいまでは3万円台で買える。スマホにグーグル翻訳をダウンロードすれば、日常の用を便するには十分足りる。

自動翻訳の専門家によれば、あと数年で機械翻訳の精度はさらに向上する。機械の単価も遠からず電卓並みになるだろう。みんながポケットに自動翻訳機(ドラえもんの「ほんやくコンニャク」である)を携行する時代が来る。

そのとき、もう学校で英会話を学ぶ必要はなくなると自動翻訳の専門家は言う。

むろん翻訳家や外交官などには引き続き高い英語運用能力が求められるだろうが、一般市民にはもうその必要がなくなる。「町で外国語で話しかけられた」ら、おもむろにポケットから機械を取り出せば済む。3桁の掛け算の答えを求められたときにおもむろに電卓を出すのと変

わらない。

だが、「英語ができる日本人」の育成に熱意を示す文科省は、英会話能力開発そのものを不要にしかねないこの技術革新について一言のコメントもしたことがない。

英語での円滑なコミュニケーションが全国民に必須だと思うなら、文科省はむしろ自動翻訳機械の精度向上と廉価化のために一臂（いっぴ）の力を貸すべきではあるまいか。

「外国語を学ぶとはどういうことか？」という根源的な問いを私たちにつきつけるこの技術の進化について何の反応もできない省庁が「国際的な経済競争」に「果敢に挑戦」していると言えるだろうか？　それこそ文科省が「英語ができる日本人」に求めていることなのだが。

（２０１９年11月18日号）

知的威信を損なう主張

英語の民間試験に続いて、今度は国語と数学の記述式問題も来年度の大学入学共通テストへの導入延期が決まった。受験生50万人が受ける試験の採点を外部にアウトソースする場合に、どうやって採点の公平性を担保するのかというのは受験生にとって最も切実な問いである。

それに文部科学省はついに説得力のある答えを示すことができなかった。

精密な制度設計を怠り、「改革」を自己目的化して暴走した歴代文科相の罪は重い。

私も在職中には記述式の採点に何度もかかわった。採点者はまず全答案を通読して「よくある解答例」をリスト化し、配点を決める。全員が同室で採点し、採点のむずかしい答案があると、全員で相談して点を決める。それを二度繰り返して、「あたかも一人の採点者が全答案を採点した」ようなかたちに近づけようと努力したのである。

学生アルバイトを含む1万人もの採点者で手分けして採点するというような話は、一度でも入試に携わったことのある人なら「ありえない」と絶句するはずである。それでは入試のノウハウを知らない人たちが机上で起案した空論だと言われても仕方があるまい。

なぜ政府はこんな愚策に固執したのか。

受験生たちにより良い受験環境を整備するためでなかったことは確かだ（現に4万人を超える高校生たちが制度導入に反対する署名を行った）。むろん教員たちの負荷を軽減するためでもない。では、いったい何がしたかったのか。

こんなことを言う人は少ないが、理由の一つは「入試は大学教員の専管事項ではなく、誰にでもできる」ということを主張したかったからだと思う。

今の政府は大学に限らず教員たちの社会的地位を引き下げ、そのプライドを傷つけることについては実に熱心である。

「実学だけ教えろ」とか「実務家を教員に登用しろ」とかいった主張はもっぱらアカデミアの知的威信を損なうことをめざしている。それによって大学の学術的発信力がV字回復し、学生たちの知的成熟が促進されると信じている人は政府部内にもいないだろう。

彼らはどんな有害無益な政策にも従順に従う「イエスマン国民」が欲しいだけなのだ。


（2020年1月6日号）

「荒れる」高校生と「自殺する」高校生

高校生の自殺者が増えている。

厚生労働省は進路の悩みや学業不振が要因だと説明しているが、主因はコロナによる学校生活の変化だと私は思う。

高校生たちはこの1年間修学旅行も運動会も文化祭も部活も、学業以外のほとんどの活動の自粛を余儀なくされてきた。そして、全国一斉休校の余波で遅れた授業時間数を取り戻すために、学校によっては6限を超えて7限まで授業を行っていると聞いた。

学習指導要領に定められた内容を教え切るために、詰め込めるだけ詰め込むタイプの授業をしていると子どもたちは壊れてゆく。

「ゆとり」以前の、学習内容が最多であった時期にどれほど学校が荒廃したかを多くの日本人はまだ記憶しているはずである。教えることが多すぎて、教師は生徒たちが授業内容を理解するまで時間をかけることができなかった。

授業についてゆけない生徒たちは自分が教室にいることの意味がわからなくなった。周りからはまるで「存在しない人間」のように扱われた。自尊感情を深く傷つけられた生徒たちは「私はここにいる」と訴えるように「荒れた」。

今それと似たことが起きているのではないか。

短期間に学習指導要領どおりの内容を教え切ろうと無理をしているせいで、教員たちには生徒一人ひとりをケアするだけの余力がない。授業が理解できず脱落する生徒たちを支援する手立てがない。

先日友人が「何年ぶりかに暴走族を見た」と驚いていた。「荒れる」高校生と「自殺する」高校生は同じ教育環境の産物であるように私には思われる。

大学ではオンライン授業で、教師と学生との個人的なメールのやりとりが制度的に担保され、対面授業のときよりもむしろていねいな個別指導ができるようになったそうである。これまでだったら早い時期に授業から脱落したはずの学生が学期最後まで受講して、きちんと課題を出し、試験に通るようになったと聞いた。

ことは子どもたちの命にかかわることである。

一斉休校と詰め込み授業のせいで中高の生徒たちがいま味わっている苦しみについて、教育行政の担当者はもう少し本気で想像力を働かせて欲しい。

（２０２１年2月8日号）

成長過程を管理したがる謎

「夢」という言葉が子どもたちにとって抑圧的なニュアンスを持つ言葉になったという話を高校の先生から聞いた。

「君の将来の夢は？」と質問されると、気持ちが暗くなるという高校生が増えているという。

そうかも知れない。

私が子どもの頃もときどき大人からそう聞かれた。

中学生までは面倒なので「新聞記者」と答えていた。職業名を言うとそれで満足して、それ以上質問が続くことはなかった（当時ＮＨＫで「事件記者」というドラマを放送していて、出てくる記者たちがまことに楽しそうに仕事をしていたので「新聞記者」志望の子どもはその時期大変に多かったのである）。

でも、今はそんなに気楽な応答は許されない。

「夢」を実現するためにどういう学校のどういう学部学科に進学するのか、いつまでにどのような知識や技術を体得するつもりなのかを開示せよということが学校から求められるからである。

夏休みの宿題に「9月までに将来の夢を確定し、そのための計画を立てること」を求められた高校生たちがうんざりするのは当たり前である。

愚かなことをするものである。

高校生の知識と想像力の範囲内でそれを実現するまでのプロセスチャートを一覧的に開示できる程度の「夢」のどこに「夢」があるというのか。

昨年度から「キャリア・パスポート」というものが導入された。子どもたちが小学校から高校まで「自らの学習状況やキャリア形成を見通したり振り返ったりしながら、自身の変容や成長を自己評価できるよう工夫されたポートフォリオ」だそうである。

小学校低学年から「やってみたいこと」や「おおきくなったらなりたいもの」を記入しなければならない。

どうして文部科学省はそれほどまで子どもの成長過程を管理したがるのか。

どうして子どもが無駄な迂回をすることなく、決められた軌道を最短距離・最短時間で進むことが人生の緊急事だと信じられるのか。私には理解できない。

「夢」は評価や管理と最も縁遠いもののはずである。人間を管理することへのこの狂気じみたこだわりはもはや日本社会に取り憑いた病という他ない。

（2021年5月24日号）

研究とも教育とも無縁の「実務家」たち

今、政府部内で私学経営のかたちを一変させる法案が検討されている。私学での不祥事続発を承けて「ガバナンス強化」のためにルールを見直すのだそうである。最大の変更点は理事会に代えて評議員会を大学の最高議決機関にすること。理事・監事の選任・解任をはじめ、寄附行為の変更、学校法人の合併や解散までもが評議員会の専管になる。評議員の任期は理事より2倍以上長く、評議員の選任は「委員会」に委ねられ、理事や教職員は5年経過しないと評議員になれない。

どう読んでも、学内者を排除して、学外から大学に入り込んでくる少数の評議員が経営の全権を握ることができるような仕組みに変えることをめざしているものである。

政官財界など「学外者」による大学支配の企てはこれまで何度も試みられてきた。

遠くは2003年の小泉内閣による特区における株式会社立大学の容認である。大学にはビ

ジネスマインドがないので、「実務家」が経営すれば市場のニーズに合った理想的な大学ができるという触れ込みだったが、蓋を開けてみたら不認可や募集停止が相次ぎ、新規開校の話も絶えて聞かない。

しかし、「実務家」が市場原理に基づいて経営すれば大成功というほら話について誰からも反省の弁を聞いた覚えがない。

14年には学校教育法の改定があって、教授会が大学の重要事項の決定機関から学長の諮問機関に「格下げ」された。学長に権限が集中され、教授会は入試判定、卒業判定、人事、予算あらゆる重要事項についての決定権を奪われた。

それ以後、学内意向調査では下位の候補者が学長になるケースが次々報道された。学長に全権を与えると同時に学長選考プロセスが密室化されたのである。

そして、今度は理事会の無力化である。

理事会に代わって強力な権限を持つことになる評議員として、研究とも教育とも無縁の学外の「実務家」たちを大学に送り込むための布石である。

日本学術会議の新会員任命問題で研究者たちからの激しい抵抗に遭った政府が日大事件を奇貨として大学人からあらゆる権限を奪うために考え出したのだろう。

分かりやすすぎて涙が出そうだ。

（2021年12月13日号）

農園から工場に変わった学校

教育を語る時の語彙にはその時代における基幹産業の用語が混入するという仮説を思いついたので、その話を書く。

ある時期から教育を語る言葉づかいに工学的比喩が増えた。気がついたのは、１９９０年代の終わり頃のことである。シラバスが導入される時に、これは授業についての仕様書のようなものだと説明された。どういう材料を使って、どういう手順で、どういう教育サービスを提供するのか明記するのだそうである。それから「ＰＤＣＡサイクルを回す」とか「学士号の質保証」とかいう工学的語彙が書類に頻出するようになった。

私が子どもの頃はそんな言葉づかいで教育を語る人は一人もいなかった。当時、学校教育は農作物を育てることに類比されて理解されていたからである。「学級通信」というものを教師が作成していたが、そのタイトルは多くが植物由来のものだった。「めばえ」とか「わかば」とか「あすなろ」とか。

おそらく教師たちは子どもたちもまた農作物と同じく、種を撒いて、水やりをして、肥料をやって、あとは天任せの生き物だというふうに思っていたのであろう。

成長に関与するファクターは日照も降雨も病虫害も台風も人為によっては統御できない。秋になっても、どんなものが収穫されるか予測がつかない。

だから、茫洋（ぼうよう）としてとらえどころのない子について大人たちはしばしば「大器晩成」という定型句を口にした。そういう言葉づかいが選好されたのは、子どもの生育過程を大人は完全に統御することはできないという涼しい無力感があったからであろう。

しかし、農業が基幹産業である時代が終わり、製造業がそれに代わると、教育を農業の比喩で語る習慣は失われた。

学校は農園から工場に変わった。

最近驚かされたのは、子どもたちに「ポートフォリオ」を持たせるという教育法が採用されたと聞いたことである。

子どもたちはなんと今度は「金融商品」のようなものに見立てられているのである。

人々はそれと知らずに支配的な産業をモデルに教育を語る。

いずれ人工知能や仮想通貨やバイオテクノロジーの用語で得々と教育を語る人が出てくるのだろう。

（2022年4月11日号）

第7章

映画とドラマが内包する豊饒

ドラマの歴史的貢献

3年前に凱風館門人で済州島の地域研究者である伊地知紀子先生に就いて、ハングル書堂という勉強会を始めた。「六十の手習い」どころか古希になってからの外国語習得はなかなかつらいものがある。それでもなんとか続けていられるのは、伊地知先生がまったく怒らず、生徒たちの出来不出来を気にしない鷹揚な先生だからである。おかげで私のような劣等生も脱落せずについていける。

今日のハングル書堂の教材がメールで送られてきた。「愛の不時着」の話らしい。たぶん先生がこのドラマについて語りたいことがたくさんあるのでこの教材を選んだものと思われる。でも、「そういうこと」ができるというのはかなり例外的なことだと言わなければならない。「そういうこと」ができるのはハングル書堂の受講生の大半がこのドラマ全16話をネットフリックスですでに見ているということが前提になっているからである。

先日、在日コリアンの方たちが凱風館を訪れて、日韓問題についての座談会を行ったことがあった。歴史解釈にいささか意見の相違があって、わりとタフな座談会だったが、終わってからの昼食の席で、誰かが「愛の不時着」について話し出したら、全員が身を乗り出して、おし

ゃべりが盛り上がった。

在日の方には複雑な思いがあるようで、「北を美化し過ぎている」という人もいれば、「南北統一の夢がこういうかたちで語られるようになったのは慶賀すべきことである」と評価する人もいた。

私は朝鮮半島の問題について語る場合には、日韓の誰を相手にしてもつねに知識不足を指摘されることに怯えている。「こんなことも知らない人間に朝鮮半島の問題について語る資格はない」とはねつけられるリスクをつねに冒しつつ、薄氷を踏む思いで私見を語っている。

でも、「愛の不時着」はそのストレスから私を解放してくれた。誰からも叱責されたり、査定されたりする不安なしに、ドラマに仮託された韓国の人々の南北統一の「夢」について私は語ることができる。そのような機会を多くの視聴者に提供してくれたという一点において、このドラマの歴史的貢献を私は多とするのである。

（2020年7月13日号）

戦中派の心情

理事をしている大学から社会人対象のリカレントカレッジの教養講座3回分の講師を頼まれたので、「映画と戦争」という演題を選んだ。戦争にかかわる映画を見てから、それを素材に

戦争と映画について語るのである。

1回3時間なので、映画を見ると私が話す時間は1時間ほどしかない。それで定額の授業料を頂いては申し訳ないので、事務局に頼み込んで半額にしてもらった。

第1回は小津安二郎「秋刀魚の味」。直接戦争を扱ってはいないが、戦中派の男たちが戦争経験をどう抑圧してきたのかが鮮やかに描かれている。

トリスバーで「軍艦マーチ」がかかった時、一人のサラリーマンが遠い目をして「大本営発表」とつぶやく。隣のサラリーマンが「帝国海軍は今暁五時三十分南鳥島東方海上において」と続ける。それを最初のサラリーマンが「負けました」と断ち切る。「そうです。負けました」ともう一人も応じて、二人は笑ってまた前を向いて飲み始める。

12月8日から8月15日の間のことは「話題にしない」という暗黙の社会的合意が戦後17年の日本には存在したことをこの場面は雄弁に教えてくれる。

ラストシーンでは、かつて駆逐艦艦長だった平山（笠智衆）が「軍艦マーチ」の「守るも攻むるも黒鐵（くろがね）の」の後に「か」という吐き捨てるような破裂音を付け加える。

この「か」に小津の万感は込められていると私は思う。英語話者は両手で「ちょき」を作って二度曲げる仕草で「これは引用です」ということを示すが、この「か」はそれに近い。平山は「そういう幻想がリアリティーを持っていた時代がかつてあり、それは永遠に終わった」こ

とを認めると同時に職業軍人としてのおのれの前半生の記憶を封印し、それについては二度と語らない決意をこの「か」に託している。

戦争中に経験したことについてはもう語りたくないという戦中派の心情は私にも理解できる。けれども、戦争の記憶は封印しようという戦中派の集団的合意のせいで、私たちはそののち、歴史修正主義者の跳梁(ちょうりょう)を許すことになった。小津は戦中派の沈黙をかくもやすやすと踏みにじる人々の登場を予測してはいなかっただろう。

（２０２１年6月21日号）

俳優の「フィジカル」

米アカデミー賞国際長編映画賞を受賞した映画「ドライブ・マイ・カー」について、「この映画の魅力は何でしょう」というインタビューを受けた。

あれこれ話したが、すぐれたアイデアだと思ったのは、チェーホフの「ワーニャ伯父さん」を多言語（日本語、韓国語、中国語、手話など）で演じる舞台の稽古を軸に物語が進むという設定だった。

村上春樹の原作でも主人公の俳優・家福が「ワーニャ伯父さん」の台詞を車内のカーステレオで練習するという場面はあるけれども、稽古と舞台を見せ場にしたのは映画の独創である。

「俳優が俳優を演じる」という設定からは独特のリアリティーが生まれる。

というのは下手な役者が名優を演じることは原理的に不可能だし、逆に上手い役者がわざと大根役者を演じることもできないからだ（やれば「名演技」と絶賛されてしまう）。

俳優が俳優を演じる時、それ以外の設定では見ることのできない独特な緊張感が生まれる。別に劇的な出来事が起きるわけではなくても観客は少しだけ前のめりになる。

多言語演劇というのも巧妙な設定だと思った。

日本語なら私たちには意味がわかる。だからつい意味を追ってしまう。それだけで「芝居を見た気」になる。でも、知らない言語で演じられると言葉の意味がわからない。私たちは俳優たちの微細な表情の変化や息づかいや声の響きに集中する他ない。それはストーリーを追うこととは別の種類の集中力を観客に求める。

さいわいベケットの「ゴドーを待ちながら」とチェーホフの「ワーニャ伯父さん」はよく知られた戯曲だから観客は台詞が聴き取れなくても、話が見えなくて困惑するということにはならない。観客はただ俳優の「フィジカル」に注目していればよい。というか、それしかすることがない。そのせいで、観客には物語の進行を高みから見物するという横着な構えが許されない。観客ひとりひとりが固有の仕方での「参与」を求められる。

台詞の多くを「聴き取ることができない」という設定そのものをアドバンテージとした映画

が国際長編映画賞を受賞したのは、ある意味当然のことなのかもしれないと思った。

（2022年4月25日号）

隣人にとって自分は何者だったのか

ミン・ジン・リーの小説『パチンコ』がドラマ化されて、配信されている。日韓併合の頃の釜山の漁村から始まる一人の韓国人女性の一生を描いた話である。シリーズ1の終わりまで観た。質の高いドラマだと思う。

気になるのは、日本社会で生きるコリアンたちの苦闘を活写したこの物語について日本のメディアがほとんど論及していないことである。

李氏朝鮮末期から日本の敗戦による植民地支配の終わりまでの朝鮮半島を舞台にしたドラマや映画は韓国ではすでに多く作られている。日韓併合や植民地時代のレジスタンスを素材にした「ミスター・サンシャイン」や「シカゴ・タイプライター」はネットフリックスで世界に配信されて多くの視聴者を獲得した（どちらも面白かった）。

むろんどの作品でも日本人は迫害し、収奪する「ワルモノ」として描かれていることに変わりはない。それでも作品ごとに両国のはざまにあって葛藤する人々の相貌は深みを帯びてきて

いる。話を単純な「勧善懲悪」に落とし込むだけでは済まないということを隣国のクリエーターたちは理解し始めているように思われる。

翻ってわが国にはこの時代の朝鮮半島の歴史的出来事を素材にした「娯楽作品」を作り上げる動きが見られない。

大院君や閔妃や金玉均や福沢諭吉や内田良平や宮崎滔天が出てくる群像ドラマがあれば、この時代の半島情勢が「善玉悪玉論」で説明できるほど単純なものではないということを視聴者は知るはずである。

両国の人々の葛藤と混乱、真率な素志と悲惨な結果の落差を知って、「誰の言い分が正しいのかわからなくなった」という感想を得るだけでも、歴史について何も知らないよりはましである。

韓国は「隣国日本とのかかわりの歴史をエンターテインメントとして物語る」という事業にすでに四半世紀にわたって取り組んでいる。

日本は何もしていない。両国民が過去を振り返った時、そこに見えるものの「解像度」にはすでに歴然とした差が生じている。

「自分たちはかつて隣人にとって何者だったのか」という問いをネグレクトした日本人に果たして外交というような難事業が果たせるのか。

（2022年5月30日号）

土地は誰のものなのか

ある大学で社会人対象の夜学を担当している。

今期は「西部劇に見るアメリカの分断」がテーマ。第1回は「シェーン」を選んだ。

映画の舞台は南北戦争後のワイオミング。1862年にリンカーンは「ホームステッド法」という法律を発令した。公有地に定住して5年間農業を営んだ者に無償で160エーカーの土地を与えるというまことに気前の良い法律である。

おかげで、ヨーロッパから自営農をめざす移民が流入して、西部開拓が一気に進み、アメリカの資本主義はみごとテイクオフを果たした。

流れ者のガンマン、シェーンが逗留することになった農夫スターレット一家とその仲間たちは「ホームステッダー」である（映画の中でもそう呼ばれている）。彼らと敵対するのは、久しくこの土地で牛の放牧をしてきたライカー一家である。原野を切り拓き、過酷な環境に耐え、ようやく人間が暮らせる場所にしたという自負を持つカウボーイのところに、ある日移民たちがやってきて、土地を囲い込んで、「私の土地に牛を入れるな」と言い出した。

土地は誰のものなのか。共有すべきものなのか、分割して私有すべきものなのか。これは19

世紀資本主義の抱えた根源的な問題だった。答えは決まっていた。公有地を私有地に分割すれば人々は自分の土地からできるだけ多くの価値を引き出そうと必死に働く。だから、資本主義はホームステッダーの増殖を求めたのである。

農場で働くことになったシェーンが最初に雑貨屋に買いに行ったのは有刺鉄線だった。ワイオミングの緑の草原に杭を打ち、有刺鉄線を張って、猫の額ほどの私有地を「囲い込む」シェーンの労働は審美的には美しいものではない。だが、飛躍の時を迎えようとしていたアメリカ資本主義には、「土地は誰のものでもない。誰でも自由に往来する権利がある」と信じるカウボーイたちの所有観は許容することのできないものだった。

シェーンの英雄的なガンファイトによって予定通りにカウボーイたちは歴史の彼方に姿を消す。けれども、彼らを撃ち殺した銃弾は近代社会に居場所を持つはずもないシェーン自身の命をも奪うことになる。

（2022年6月27日号）

あとがき

みなさん、最後までお読みくださって、ありがとうございました。

読んで、どういう感想を抱かれましたか。

僕はゲラを通読してみて「悲観的な話が多いけれど、それほど気持ちが暗くもならない」という印象を持ちました。自分の書いたものについて「印象を持ちました」というのも変ですけれど。

日本の現状がかなり悲惨なものであることは間違いありません。国際社会におけるプレゼンスも、経済力も、文化的発信力も、明らかに低下しつつある。これはどんな指標を見ても明らかです。

でも、これがシステムの全面的な壊死なのかというと、そうでもないような気がします。「日の当たる場所」はかなり悲惨な状況ですけれども、「日の当たらない場所」ではもう新しい活動が始まっているように思えるからです。すでに歴史は「次のステージ」に入っている。でも、「日の当たる場所」にいる人たち（昔風に言うと「エスタブリッシュメント」ですね）は、その潮目の変化にまだ気づいていない。

それを感じたのは少し前に、知人の結婚披露宴に呼ばれた時のことです。

知人の結婚相手はパン作りの若い女性でした。その関係で、披露宴で僕のすわったテーブルは新婦の「パンの師匠」と、同門の若いパン職人たちでした。その人たちの話がとても面白かった。

みなさん同じ師匠について修業したあとにヨーロッパで修業を重ねてから、日本にもどって各地でパン屋を開業している方々です。細かい技術的なことは僕にはわかりませんけれど、彼らがあっさりと「日本のパンは世界一ですから」と言い切った時に、はっと胸を衝かれる思いがしました。

「いま、フランスのパン職人たちが必死に工夫しているのは、僕らがすでに10年前にやったことです。日本のパンは10年のアドバンテージがある」

そう言ってにっこり笑いました。

こういうタイプの言明を聴いたのは、ずいぶん久しぶりのことです。

1960年代から80年代まではたしかに、「僕らの仕事が世界一ですから」とまるで「今日は天気がいいですね」くらいのカジュアルな口調で語る人たちにしばしば遭遇しました。

ほんとうにそうだったんです。

商社でも、メーカーでも、メディアでも、大学でも、エンターテインメントでも、「気がついたら、僕たちがしていることが世界標準になったみたいですね」という話をよく耳にしました。

たしかに、そうでなければ敗戦から短期間に世界第2位の経済大国に急成長するというようなことは起こるはずがありませんから。

寂しい話ですが、そういうことがほぼまったくなくなって30年近く経ちました。ですから、今の40歳以下の人たちは、「日本人がさまざまな分野で世界をリードしていた時代」というものをリアルには想像できないと思います。そんなことを年上の人が言っても「年寄りの愚痴」にしか思えないとしても不思議はありません。

でも、国運というのは「上がったり、下がったり」するものなんです。古希を過ぎてまで長生きするとそのことがよく分かります。

僕は敗戦の5年後の生まれです。中学に入るくらいまでは「戦争に敗けてたいへん貧しくな

った国の国民」というのが自己認識の初期設定でした。

子どもの頃に母親に何か買ってくれとねだるとほぼ必ず「ダメ」と言われました。「どうして」と訊くと、「貧乏だから」と母が答え、「どうして貧乏なの」とさらに訊くと「戦争に敗けたから」と言われて、それで問答は終了しました。そういうのが60年代の初めくらいまで続きました。

でも、それから空気が変わった。

何となく「このままゆくと世界標準にキャッチアップできるんじゃないか」という無根拠な楽観が社会に漂い始めた。

伊丹十三の『ヨーロッパ退屈日記』は1965年の本です。『北京の55日』や『ロード・ジム』に出演した国際派俳優がそのヨーロッパでの生活を記したエッセイです。この本で僕たち敗戦国の少年は「ジャギュア」の運転作法や「アル・デンテ」の茹で方を、『再び女たちよ!』(1972年)で「ルイ・ヴィトン」という鞄の存在を知りましたが、それはもうそれほど遠いものではなく、「あとちょっとしたら、僕たちにも手が届きそう」なものとして伊丹さんは僕たちに提示してくれた。

そして、実際にその数年後に僕は赤坂のパスタ屋で、「ボロネーゼをアル・デンテで」とか注文していたのでした。

1980年代終わり頃バブルの全盛期には、日本人はお金があり過ぎて、買うものがなくなり、とうとうマンハッタンの摩天楼や、ハリウッドの映画会社や、フランスのシャトーや、イタリアのワイナリーまで買うようになりました。「こんな無意味な蕩尽をしていると、そのうち罰が当たるぞ」と僕は思っていましたが、やっぱり予想通りになりました。図に乗ってはいけません。

*

罰が当たって30年、日本は少子化・高齢化という人口動態上の負荷もあって、「落ち目の国」になりました。

今の日本の指導層の方々には悪いけれど「落ち目の国に最適化して、貧乏慣れした」人たちです。だから、彼らはもう日本をもう一度なんとかするという気はありません。もう日本に先はないんだけれど、公共的リソースはまだまだ豊かにある。だから、公権力を私的目的のために運用し、公共財を私財に付け替えている分には、当分いい思いができる。そういう自己利益優先の人たちばかりで政治や経済やメディアがいまは仕切られています。

「貧乏慣れ」した人たちというのは「日本が貧乏であることから現に受益している人たち」で

す。ですから、彼らは現状が大きく変わることを望んでいません。このまま日本がどんどん貧乏になり、国民が暗く、無力になり、新しいことが何も起きない社会であることの方が個人的には望ましいという人たちが今の日本ではシステムを設計し、運営している。

でも、僕はこんなことがいつまでも続くとは思いません。

だって「落ち目の国」という環境に最適化して、「貧乏慣れ」することで受益している人の数は日を追って減っているわけですから。

圧倒的多数の人たちは「もうちょっとましな国」になって欲しいと願っている。

そして、多くの人が強く願うことは実現する。

これは長く生きてきて僕が確信を持って言えることの一つです。問題は「多く」と「強く」という副詞のレベルにあります。原理の問題ではなくて、程度の問題です。

かつて敗戦の瓦礫（がれき）から立ち上がったように、また手持ちのわずかなリソースを使い回して、もう一度「僕らがやってること、とりあえず世界の最先端ですから」というような台詞がさらっと口から出るような時代に出会いたいと僕は思っています。それは決してそれほど難しいことじゃない。

もちろんAIとか創薬とか宇宙開発とか、そういう「やたら金がかかり、当たるとどかんと金が儲かる」領域では無理でしょうけれども、食文化とかエンターテインメントとか芸術とか

学術のような、日本に十分な蓄積があり、かつ「新しいこと」を始めるのに、多額の初期投資とか、「えらい人たちへの根回し」とかが要らない分野でしたら、すでにそういう言葉が口元に出かかっているという人たちはいるはずです。

僕らがそれを知らないのは、既成のメディアが「貧乏慣れ」して、ほんとうの意味での「ニューズ」に対する感度が鈍っているからだと僕は思います。

そういう未来への期待を込めて、本書のタイトルを撰(せん)しました。

みなさんも、一緒に「強く願って」くださいね。

２０２２年12月

内田 樹

初出＝「ＡＥＲＡ」２０１８年7月30日－２０２２年11月21日号「ｅｙｅｓ」、朝日新聞出版）。肩書・団体などの名称は当時のものです。

内田 樹（うちだ・たつる）

武道家、思想家。1950年、東京都生まれ。神戸女学院大学名誉教授、昭和大学理事。東京大学文学部仏文科卒業。東京都立大学大学院人文科学研究科博士課程中退。『私家版・ユダヤ文化論』（第6回小林秀雄賞）、『日本辺境論』（第3回新書大賞）、執筆活動全般について第3回伊丹十三賞。2011年に武道と哲学研究のための私塾「凱風館」開設。近著に『レヴィナスの時間論』、共著に『大学と教育の未来』『下り坂のニッポンの幸福論』など多数。

夜明け前（が一番暗い）

2023年2月28日　第1刷発行

著　者　内田 樹
発行者　三宮博信
発行所　朝日新聞出版
〒104-8011 東京都中央区築地5-3-2
電話 03-5541-8832（編集）
03-5540-7793（販売）
印刷製本　凸版印刷株式会社

ISBN978-4-02-251886-6

夜明け前(が一番暗い)

内田樹
Tatsuru Uchida

朝日新聞出版